Linda Langeheine

Üben? - Und wie!?...

Die Übefibel mit Tipps und Tricks
für ein besseres Üben
für Kinder ab 10 Jahren und
für Alle, die das Üben üben wollen.

Für meine großartigen Kinder Nadja und Lukas,
die meine Stärken bejubeln
und meine Schwächen verschweigen.

ZM 33040

Vorwort

Wer liebt schon die Überei?! Ich habe weit über tausend Menschen unterrichtet und dabei immer wieder versucht, auch Übetechniken zu vermitteln, die ein schnelles und freudiges Vorankommen beim Instrumentalspiel ermöglichen. Die Genugtuung über ein gelungenes Stück, eine „sitzende" Stelle, motiviert ungemein!
Da viele Eltern und Lehrer, vielleicht auch aus eigener Erfahrung, über das Problem des (richtigen!) Übens Trauerlieder singen können, denke ich, kann hier ein vergnügliches Heftchen, in dem viele Hinweise und Tipps zum besseren Üben gegeben werden, helfend und unterstützend wirken. Hier ist es. Es zeigt mit vielen Vorschlägen, wie effektiver gearbeitet werden kann und verschafft einen besseren Überblick über das Pensum, das bewältigt werden will. Mit diesem Heft – es eignet sich für junge Menschen ab zehn Jahren, richtet sich aber trotz seiner mehr auf Jugendliche ausgerichteten Sprache auch an „ältere Jahrgänge" – erringt der Schüler oder die Schülerin eine gewisse Unabhängigkeit von einer „Übe-Aufsicht".
Diese Übefibel ersetzt natürlich die Lehrperson nicht und nimmt nicht die Arbeit des Erklärens und Anwendens ab. Sie ist als Erinnerungshinweis und Motivationshilfe gedacht. Die zahlreichen Notenbeispiele konnten nicht für alle Instrumente geeignet ausgeschrieben werden. Sie sollen vor allem zeigen, wie das, was in Worten erklärt wird, gemeint ist. Die Übertragung auf das jeweilige Instrument soll im Unterricht gelernt werden (Lernen lehren!).
Also, viel Spaß beim Üben (ist dies ein Widerspruch?) und gutes Gelingen!

Linda Langeheine

Danksagung

Mein Dank gilt der Verlegerin Maja-Maria Reis, die meine Ideen offen begrüßt, Herrn Friedhelm Neubert, der geduldig mein Chaos geordnet hat, für die inhaltliche und verlegerische Betreuung des Buches, Frau Wiltrud Wagner für die Illustrationen, Ulrike und Gunther Tiedemann für zahlreiche Anregungen und Hinweise sowie Sabine Pape, die mich motiviert und tatkräftig unterstützt hat.

Langeheine, Linda
Üben? – Und wie!? ...
Die Übefibel mit Tipps und Tricks für ein besseres Üben

ZM 33040
ISMN 979-0-010-33040-2
ISBN 978-3-921729-70-0
5. Auflage 2020

Titelgestaltung und Illustrationen: Wiltrud Wagner, Lübeck
Satz und Layout: Kontrapunkt Satzstudio Bautzen

Inhalt

1. Allgemeines zum Thema Üben

Übehygiene

Tatsächlich ist die äußerliche Systematik beim Üben genauso wichtig wie bei anderen selbstverständlichen täglichen Verrichtungen. Ein bisschen musst du schon festlegen, in welcher Reihenfolge du was, wie und wann erledigen willst. Beim Ankleiden ziehst du die Unterhosen ja auch nicht über die Jeans, frei nach dem Motto: Beides muss man eben anziehen.
Ein bisschen Chaos ist okay, aber meistens geht eben alles schneller und das Ergebnis ist befriedigender, wenn das Drumherum stimmt. Stimmt's? Also:

1. Gestalte deinen Arbeitsplatz so, dass es dir Freude macht, dich dort aufzuhalten und zu üben. Das ist wichtig, denn dein Hirn steht auf deiner Seite (wenigstens einer!): Es will, dass du dich wohl fühlst. Daher merkt es sich, um dich vor Unangenehmen zu schützen, lieber Angenehmes als Ärgerliches – ist doch nett von ihm! Für deinen Lernerfolg heißt das: Je wohltuender die Atmosphäre ist, in der du arbeitest, desto anhaltender prägt sich das erarbeitete Pensum ein.

2. Übe immer am gleichen Ort zur gleichen Zeit. Nach einer Weile funktioniert der bloße Anblick des behaglichen und gewohnten Platzes als Reizauslöser, d.h. du verspürst Lust zum Üben.

3. Das Gehirn braucht Zuverlässigkeit, hasst aber Langeweile. Ist dein Üben zu eintönig, schaltet es ab. Ist ja auch verständlich, oder? Deswegen gestalte dein Üben abwechslungsreich. Wiederhole also nicht stumpfsinnig immer den selben Kram, sondern löse immer wieder neue, selbst gestellte Aufgaben. (Tipps zum abwechslungsreichen Üben findest Du im Laufe dieses Büchleins reichlich.)

4. Sorge für gute Luft. Das Gehirn ist ein richtiger Sauerstoff-Fan!
Wenn's mieft, mag keiner schuften!

5. Ruhe ist unentbehrlich für die Konzentration beim Üben. Dinge und Menschen, die ablenken, sind zu verbannen – während des Übens zumindest. Bitte gegebenenfalls deine Eltern um Abhilfe (z.B. während deiner Übe-Zeit an das Telefon zu gehen oder nervende kleinere Geschwister von dir fernzuhalten).

6. Mache rechtzeitig Pausen! In ein volles Gefäß kannst du nichts mehr hineinzwängen. Das gilt auch für deinen Kopf!
- Schließe die Augen und entspanne dich.
- Mache Dehnungsübungen, um Spielschäden zu verhindern.
- Trinke viel Wasser.
- Iss etwas Leichtes, wenn du Hunger verspürst.
- Erledige etwas „Geistloses" wie Staub wischen, Kleider zusammenfalten, Aufräumen.
- Vermeide Telefonate, Fernsehen, Lesen, Streiten o. Ä.

7. Halte nötige Utensilien wie Bleistift, Radiergummi, Metronome, Kolophonium, Übeheft und Noten bereit.
Sonst musst du wie ein Irrwisch dauernd hochspringen, um etwas zu holen.

Zeichne deinen „idealen" Arbeitsplatz:

Was brauchst du, um konzentriert zu üben?

1 ______________________ 4 ______________________

2 ______________________ 5 ______________________

3 ______________________ 6 ______________________

Ist es möglich, die von dir gewünschten Änderungen durchzuführen?
Na, dann!

2. Konzentration trainieren

Klar, konzentriert arbeitet es sich besser und vor allem schneller. Bloß – wie konzentriert man sich?

1. Wenn du zwar vor deinem Notenständer stehst, aber mehr an irgendwelchen Zoff als an diese schwarzen Pünktchen auf dem Blatt denkst, wird das deine Leistung nicht gerade erhöhen, das weißt du selbst. Du willst schließlich arbeiten und üben. Da haben andere Gedanken nichts zu suchen. Sie dürfen ja später gerne wieder kommen.
Wie aber kann man unerwünschte Gedanken verscheuchen?
Ganz einfach: Durch Entspannen.

Entspannung und Konzentration sind keine Gegensätze! Entspannt, ohne Gedanken an dieses und jenes, kannst du sicherer und effektiver arbeiten. Und, es ist wissenschaftlich bewiesen: Das Lernen geht leichter und schneller!

Lerne, dich schnell zu entspannen!

- Mit Hilfe der Atmung:
  Schließe die Augen.
  Atme tief ein und lasse die Ausatmung ganz langsam erfolgen.
  Denke bei der Ausatmung ein Entspannungswort wie „Ruhe", „Stille", „loslassen", „Entspannung".

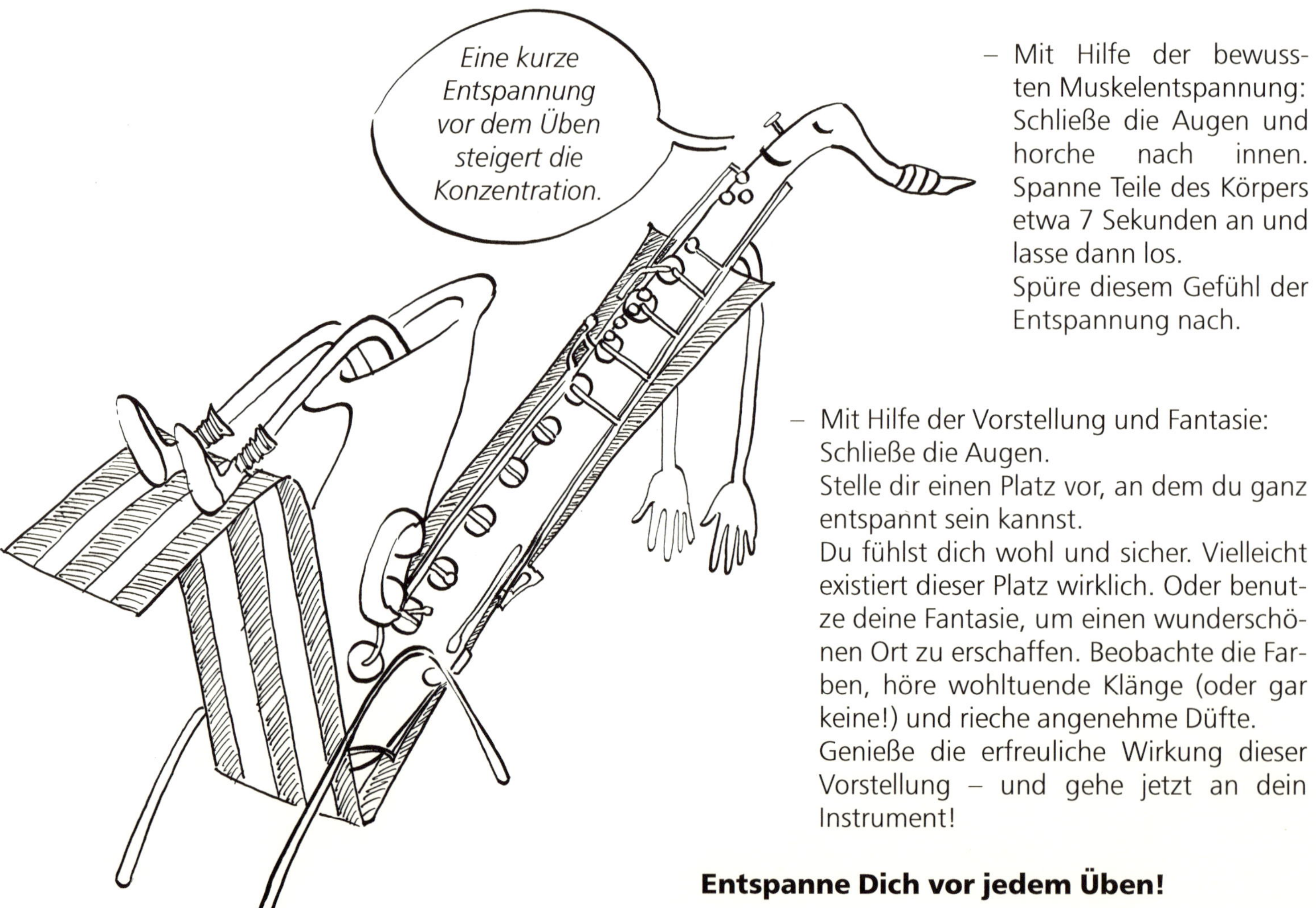

- Mit Hilfe der bewussten Muskelentspannung:
  Schließe die Augen und horche nach innen.
  Spanne Teile des Körpers etwa 7 Sekunden an und lasse dann los.
  Spüre diesem Gefühl der Entspannung nach.

- Mit Hilfe der Vorstellung und Fantasie:
  Schließe die Augen.
  Stelle dir einen Platz vor, an dem du ganz entspannt sein kannst.
  Du fühlst dich wohl und sicher. Vielleicht existiert dieser Platz wirklich. Oder benutze deine Fantasie, um einen wunderschönen Ort zu erschaffen. Beobachte die Farben, höre wohltuende Klänge (oder gar keine!) und rieche angenehme Düfte.
  Genieße die erfreuliche Wirkung dieser Vorstellung – und gehe jetzt an dein Instrument!

Entspanne Dich vor jedem Üben!

2. Wenn du dich nicht für längere Zeit konzentrieren kannst:

– Suchbilder sind eine vergnügliche Art, die Konzentrationsfähigkeit zu fördern. Es gibt ganze Bilderbücher zu diesem Zweck, in denen Tiere, Menschen usw. in einem großen Bild zu suchen sind. Diese Bilder werden übrigens bei der Arbeit mit hoch begabten Kindern benutzt. Da wären sie also für dich gerade richtig! (Zwei Beispiele findest du auf dieser Seite.)

Oder:

– Beschreibe Bilder aus dem Gedächtnis. Versuche, dich genau an Details eines persönlich erlebten Ereignisses zu erinnern. Merke dir Menschen und ihre Namen durch auffallende Bewegungen oder Körpereigenschaften. Übe auch mal mental, also im Kopf (siehe Kapitel 16; Seite 34). Diese Art zu üben verlangt Konzentration und fördert sie zugleich!

3. Wer erschöpft ist, kann sich nur schlecht konzentrieren. Mache also rechtzeitig Pausen beim Üben. Entspanne dich oder bewege dich an der frischen Luft.

Versuche alle ♪ in 1 Minute einzukreisen!

Finde die Tiere, die in diesem Bild versteckt sind. Schaffst du das in 2 Minuten?

3. Übegruppen

Wenn du mit Freunden übst, die auch ein Instrument spielen, hast du mehr „Augen" und „Ohren", die Fehler entdecken und ihr könnt Ideen zur Übegestaltung entwickeln. Und lustiger ist die Überei in dieser Form allemal! Man sitzt ja schließlich im gleichen Übeboot.
Vielleicht könnt ihr euch in der Musikschule treffen. Oder hat jemand ein großes Zimmer zu Hause, in dem fröhlich geübt und musiziert werden kann, ohne dass die Nachbarn gleich meckern?!
Wer hat die wirkungsvollsten Übevorschläge? Wer lobt am besten? Steigt die Lust durch die liebevolle Motivation der Mitspieler?

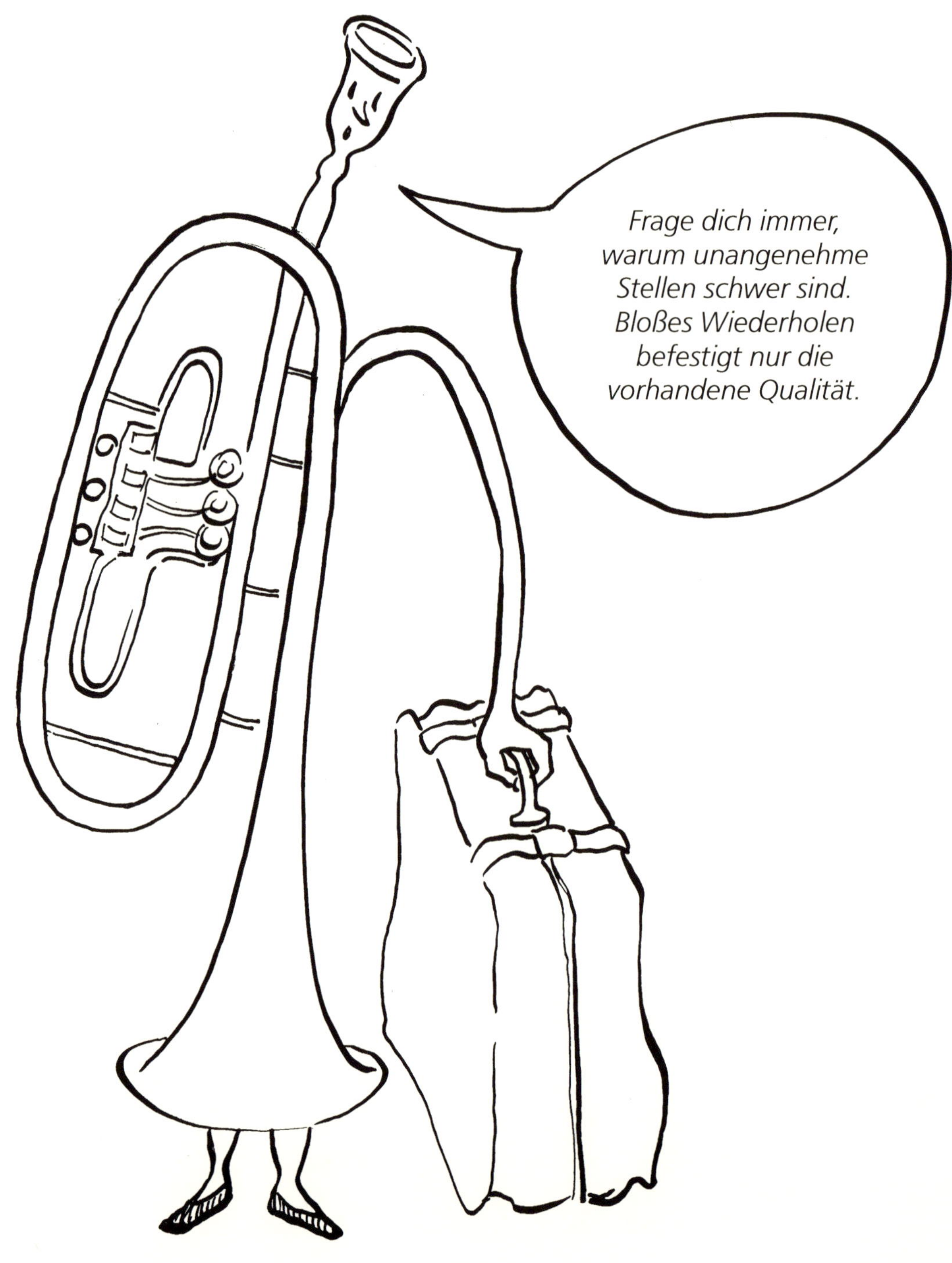

4. Wie gehe ich schwierige oder neue Stücke an?

Portionen festlegen

Nimm dir nicht zuviel auf einmal vor! Du weißt aus eigener Erfahrung, dass eine zu lange Wanderung ermüdet und keinen Spaß mehr macht. Aber ein paar kleine Schritte zu machen, ist immer leicht. Wenn du am Ziel meinst, du kannst noch weiter marschieren, hindert dich ja niemand daran.
Also:

1. Stelle fest, welche Stellen schwierig sind und gesondert geübt werden müssen. Bezeichne sie mit A, B, C usw.

2. Teile diese Stellen in kleine Portionen ein.
Wichtig: Die Stellen sollen so kurz sein, dass du sie am Schluss des Übens auswendig kannst und eine Verbesserung, sei sie auch klein, erkennbar ist.

3. Ist die Stelle wirklich vertrackt, erfinde oder suche nötige Vorübungen (Lehrerhilfe!). Vielleicht beherrschst du eine Technik noch nicht, die du brauchst, um die Portion zu bewältigen.

4. Mache einen Zeitplan. Bis wann sollte das Stück gelernt und fehlerfrei vorgespielt werden können? Aber bitte, übernimm dich nicht. Plane realistisch und vor allem rechtzeitig. Einen Tag vor der Unterrichtsstunde oder dem kleinen Vorspiel im Familienkreis nützt dir die beste Planung nichts mehr.

Hier ein Beispiel für die Planung einer Übewoche:

Montag:	Stellen A & B (auswendig)
Dienstag:	Stellen A & B wiederholen; leichte Stellen durchspielen
Mittwoch:	Stellen C & D untersuchen, Vorübungen erfinden, leichte Stellen durchspielen
Donnerstag:	Rhythmus von Stelle D klopfen und mit der Rhythmussprache sprechen
Freitag:	Stellen A & B nach und nach auf Tempo bringen. Pause. Stelle C mit Vorübungen: Stelle D spielen. Stelle D spielen, dazu Rhythmussprache sprechen oder denken.
Samstag:	Versuche, das Stück als Ganzes durchzuspielen; leichte Stellen auch auswendig lernen
Sonntag:	Das Tempo des ganzen Stückes stufenweise erhöhen

Auf Seite 10 findest du einen leeren Wochenplan, den du kopieren und für jede Woche neu ausfüllen kannst.

**Entwirf einen Zeitplan für die nächste Woche.
Hefte ihn gut sichtbar an das Pult.**

Montag:

Dienstag:

Mittwoch:

Donnerstag:

Freitag:

Samstag:

Sonntag:

Und halte den Zeitplan ein!
Bedenke schon bei der Planung, dass z. B. am Donnerstag ein Freund Geburtstag hat und nach einer heißen Feier du vielleicht keine Lust mehr hast, dich auf Mozart zu besinnen! Wenn du der besonders vorausschauende Typ bist, baust du vielleicht auch noch einen Zeitpuffer für unvorhergesehene Fälle ein.

5. Skelett-Üben

Wir können die Lernphasen als Skelettmännchen darstellen:

Um schwere Stellen zu lernen oder überhaupt ein neues Stück fehlerfrei zu üben, empfiehlt es sich, die einzelnen Punkte zunächst einzeln bzw. getrennt zu bewältigen. Du erinnerst dich sicher an die Sache mit den kleinen Schritten (siehe S. 9).

1. Suche einen kurzen Ausschnitt zum Lernen aus. Je nach Schwierigkeit können es nur ein paar Töne bis hin zu einer ganzen Phrase sein.

2. Spiele nur die Töne ohne Rhythmus.
Nimm die Handzeichen (siehe auch S. 30) und/oder Ton-Silben

do – re – mi – fa – so – la – si – do
c – d – e – f – g – a – h – c

zu Hilfe.

3. Sprich / klatsche / trommle den Rhythmus. Benutze eine Rhythmussprache (z.B. Ta-ke-Ti-na)

4. Spiele den Rhythmus auf nur einem Ton. Spreche oder denke die Rhythmussilben mit.

5. Singe die Töne im richtigen Rhythmus. Singe die Rhythmussilben dazu!

6. Spiele den Ausschnitt mit Tönen und Rhythmus. Singe (solange du nicht ein Blasinstrument spielst) die Rhythmussprache dazu.

7. Baue die Dynamik (Lautstärke) sorgfältig ein.

A Knochen (Tonhöhen)
B Muskeln (nur Rhythmus)
C Haut (Töne und Rhythmus)
D Haare, Gesicht (übrige Teile)

6. Sechzehntel-Folgen

Die flotten Stellen in einem Stück können einen ganz hübsch in Schrecken versetzen. Aber nicht aufgeben, du knackst auch die schwungvollsten Sechzehntel-Folgen! Ich erkläre dir das Prinzip an einem Beispiel. Nehmen wir an, die Noten, die du hier siehst, seien ein von dir ausgesuchter schwieriger Abschnitt aus einem Stück. Wenn du ihn festgelegt hast, gehe so vor:

1. Betone die erste Note in jeder Gruppe in einem langsamen Tempo. Sprich laut dazu die entsprechenden Fingerzahlen, Griffbezeichnung oder Notennamen.

Du kannst so mit jeder Note pro Gruppe verfahren, also die zweite Note:

die dritte Note, usw.:

2. Suche dir einen Finger (oder Griff) aus, und betone alle Noten, die mit diesem Finger gespielt werden. Wer kann, spricht diese Zahl dazu laut mit. Bläser dürfen nur „laut" denken.

Streicher betonen die Striche, wenn sie nicht regelmäßig sind.

3. Suche den Stolperstein in der schweren Stelle (Lagenwechsel/Sprünge usw.) Die Stelle auch deshalb analysieren, weil das eigentliche Problem oft übersehen wird. Zum Beispiel:

Benutze rhythmische Varianten (siehe Seite 28).
Zum Beispiel:

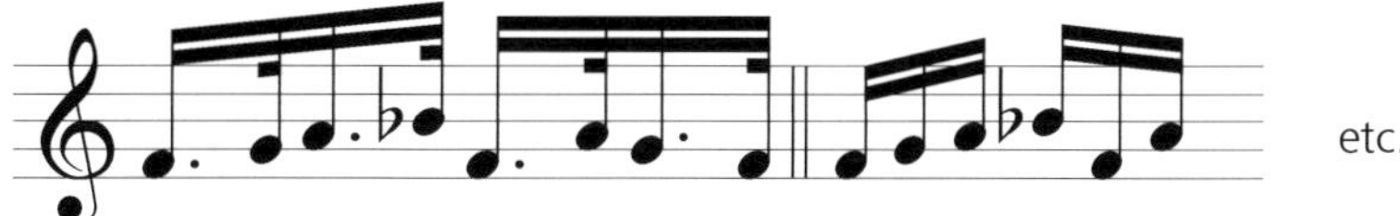

4. Schneide aus einem Stück Pappe einen Streifen von ca. 3 cm Länge. Lege den Streifen an eine deiner Stellen und übe nur die Töne, die der Streifen markiert. Wenn du die kannst, schiebe das Stück Pappe um einen Ton nach rechts und übe nur die jetzt markierten Töne usw.

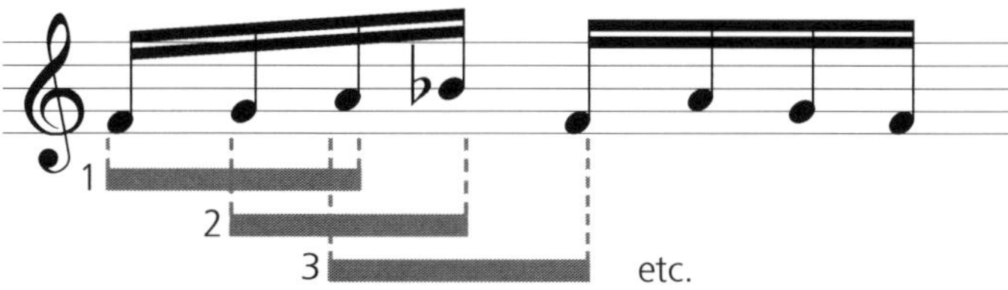

5. Stelle dein Metronom auf die kleinsten Notenwerte einer Stelle (z. B. Achtel; Sechzehntel). Halte vor jeder Schwierigkeit an, lass das Metronom viermal alleine „klicken" während du diese Pause benutzt um dich

- zu beruhigen,
- geistig auf die folgenden Tönen zu konzentrieren.

Geht dies gut, kannst du die Pause auf drei „Klicks" begrenzen. Dann zwei Päuschen. Dann einen Klick Pause. Dann gar keine Pause mehr! Gut gearbeitet!!!
Dein Lohn wird ein schwungvolles Tempo ohne Stolperstellen sein. Mache aber nur eine dieser Übungsvarianten pro Tag. Sonst kommst du durcheinander!

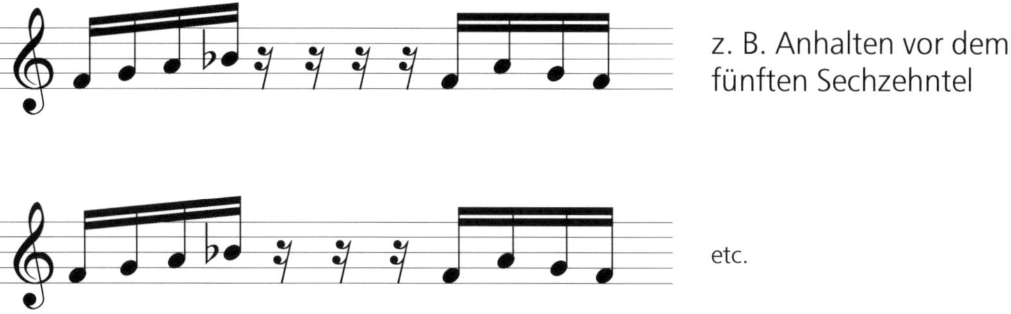

7. Schnell spielen

Das exakte, flotte Spiel ist eine gewaltige Herausforderung.
Aber ihre Bewältigung macht auch Spaß. Probiere es doch mal so:

1. Übe bei einer schweren Stelle die Verbindung von der ersten zur zweiten Note so lange bis der einwandfreie Ablauf gesichert ist. Dann kommt die dritte Note dazu usw. Auf diese Weise kannst du fast im Endtempo üben.

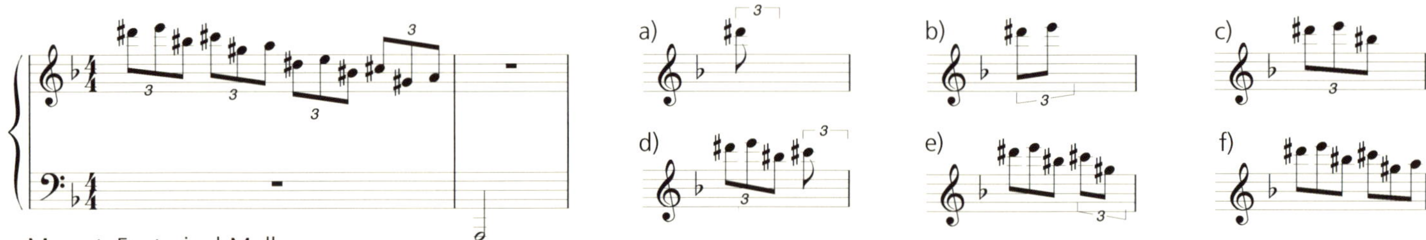

Mozart: Fantasie d-Moll

2. Um dir genau einzuprägen, was die einzelnen Finger zu tun haben, nimm eine Fingerzahl (oder Griff) pro Tag vor und jedesmal, wenn dieser Finger (Griff) vorkommt, wird er betont und mittellaut gesprochen. Später kann es auch helfen, den Notennamen statt der Fingerzahl zu sagen. Bläser können die Töne nur denken/betonen.

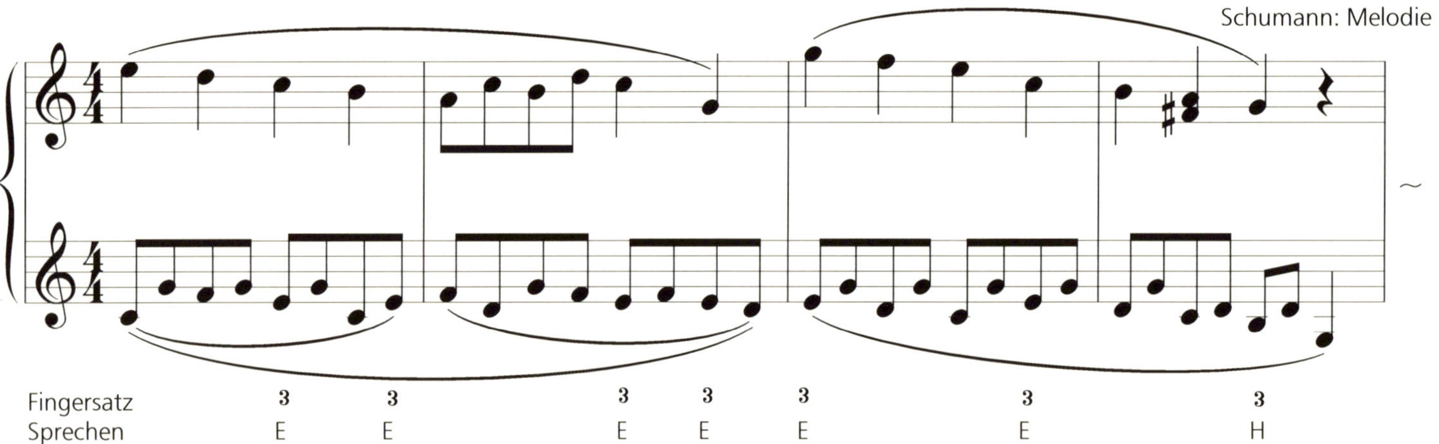

3. Übe langsam, um jeden Ton bewusst zu machen. Um den schnellen Ablauf zu sichern, kannst du das Tempo kontinuierlich mit dem Metronom steigern, wobei du ab und zu wieder auf das langsame Tempo zurückgreifen solltest.

Wenn das Tempo schneller wird, musst du bestimmte Noten als Anhaltspunkte („Anker") festlegen (z.B. jeden 8. Ton, die Lagenwechsel, Saitenwechsel, Atemzeichen o. Ä.). Während des Spielens, flitzt deine Aufmerksamkeit von einem dieser „Anker" zum nächsten. Von einer Note zur nächsten würde viel länger dauern! Hier sind die „Anker" für die Lagenwechsel:

Und bei diesem Beispiel sind es Saitenwechsel, die an den Stellen als „Anker“ dienen (Beispiel von L. H.).

4. Gruppiere die Noten in z. B. Vierergruppen und betone beim Spielen jeweils die erste Note jeder Gruppe. So denkst du nicht an jede einzelne Note, sondern springst von Notengruppe zu Notengruppe.

Händel: Variation

Beispiel

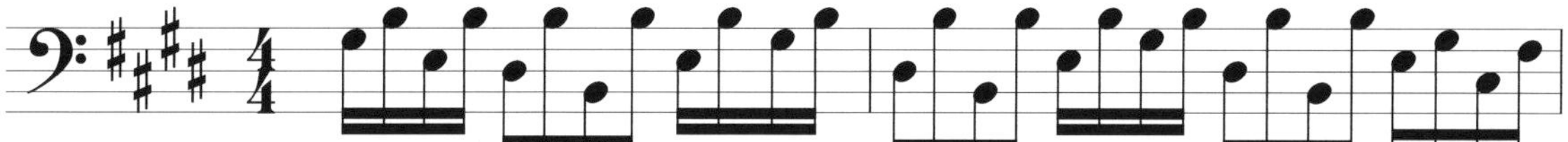

alle 3 Noten

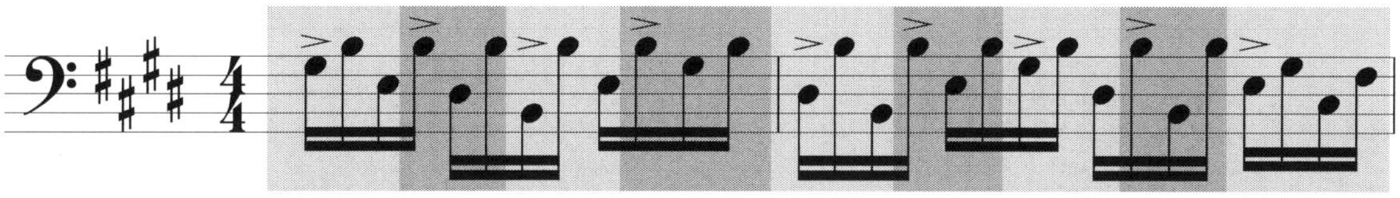

alle 4 Noten

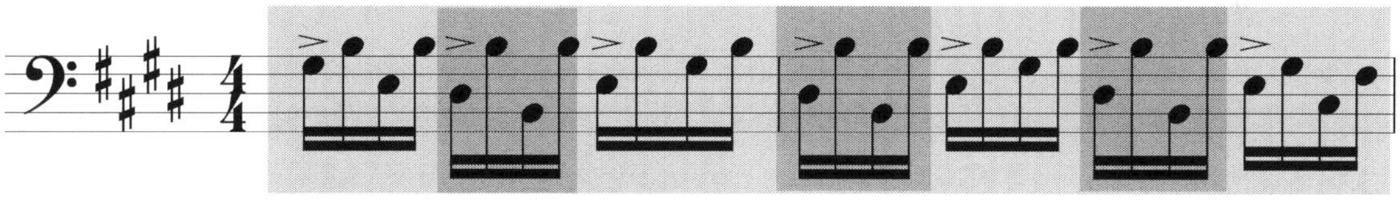

usw. alle 5 Noten, alle 6 Noten etc.

5. Stelle dir die Stelle im Kopf im Tempo vor. Geht es noch nicht? Wo befinden sich Unklarheiten? In welchem Tempo kommt dein Geist „leicht“ mit?

Sage die Zielfinger bei Lagenwechselfolgen laut vor. Durch eine leichte Betonung des jeweiligen Zieltones ergibt sich ein Rhythmus, der leicht zu verfolgen ist.

Mache dir klar, wann du Gabelgriffe spielen musst!

8. Akkorde

Auch, wenn es dir so scheinen mag: Es gibt keinen Akkord, bei dessen Bewältigungsversuch sich die Finger für immer und ewig verknoten. Er ist auch keinerlei Niederträchtigkeit des Komponisten, der nichts anderes im Sinne hatte, als dich zu ärgern. Stattdessen: Der Akkord ist beherrschbar. So einfach ist das.

Nehmen wir zum Beispiel die ersten Takte eines bekannten Klavierstückes von Franz Schubert. Damit es nicht zu unübersichtlich wird, zeige ich dir zuerst nur die Akkorde der rechten Hand.

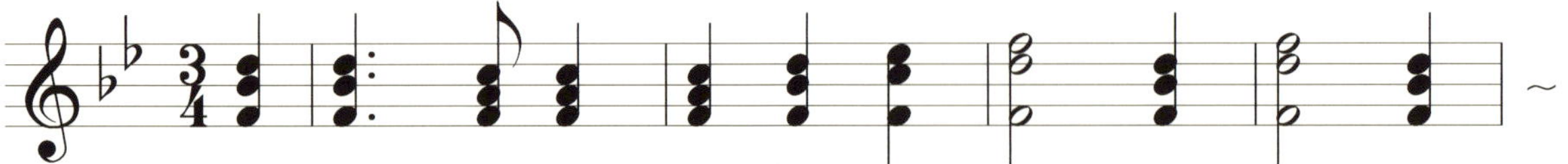

Jetzt probiere folgende Übetechniken aus:

1. *Greife* alle Töne, *spiele* aber nur eine Note davon, entweder die obere, untere oder eine der Mittelstimmen.

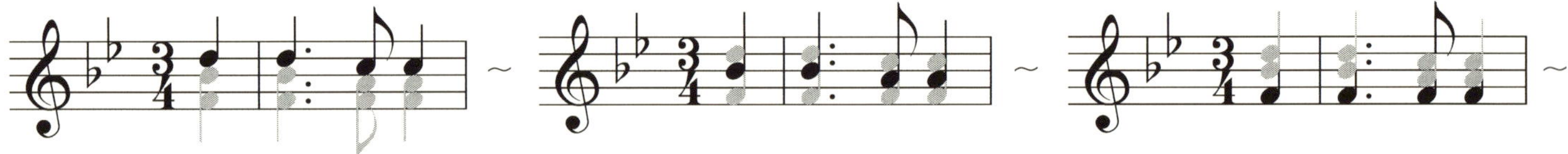

2. Jetzt spielst du die Stimmen einzeln, ohne die anderen mitzugreifen. Benutze dabei den gleichen Griff oder Fingersatz.

3. Zerlege die Akkorde:

4. Verbinde die Töne der Akkorde so:

Und dies ist die Stimme der linken Hand:

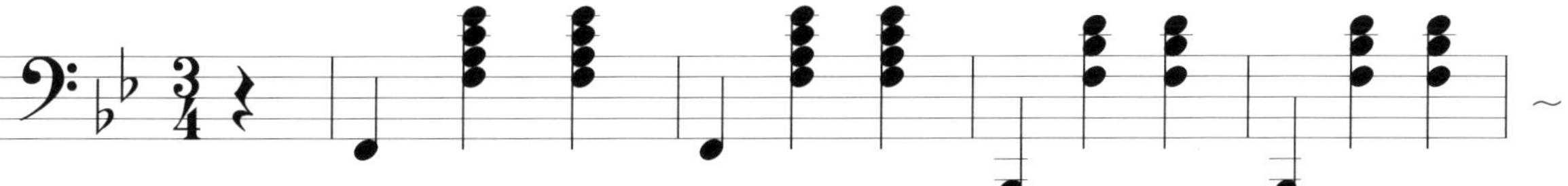

Verbinde die Akkorde so:

Finde weitere Möglichkeiten.

Für die Treffsicherheit:
Für jedes Beispiel gilt: Die untere Note immer spielen, die Akkorde zunächst nur stumm greifen, dann arpeggieren, dann normal spielen.

Fallen dir noch mehr Herausforderungen ein?

Schreibe deine schwierigsten Akkord- oder Doppelgriffstellen/-verbindungen ab.
Benutze für jede Stimme eine andere Farbe.

Eine Belohnung gefällig?!
Versuche den Weg zum Ziel
nur mit den Augen zu finden!

9. Sprünge

Manchmal hast du Angst vor einem Sprung oder Lagenwechsel. Obwohl du den Sprung schaffst, ist deine Leistung nicht hundertprozentig.
Probiere doch folgende Übung:

Spiele den Zielton, so wunderschön du kannst. Wie fühlt sich alles an? Spiele genau so ein paar Mal. Wenn du den Zielton exakt so spielst, wie du ihn haben möchtest, drücke mit dem Fuß sanft gegen den Boden. Jedes Mal, wenn du richtig spielst, bringe dieses Gefühl mit der Handlung „Fuß drücken" zusammen, um sie miteinander zu verankern. (Die „Verankerung" ist übrigens ein Tipp aus der Psychologie, aber damit brauchst du dich nicht weiter zu beschäftigen, probiere sie einfach aus; sie wirkt. Du musst es nur eine Zeit lang wiederholen.)
Dann spiele den Ausgangston. Währenddessen drückst du mit dem (gleichen!) Fuß gegen den Boden um den wunderschönen Zielton einzuleiten. Dann spielst du den Zielton.
Getroffen? Das dachte ich mir!

Du hast gerade das Prinzip der Konditionierung erlebt, d.h. zwei völlig verschiedene Dinge werden miteinander in Zusammenhang gebracht, so dass die eine Handlung eine unverwandte Reaktion auslöst. Klingt kompliziert, ist es aber nicht.
Ein simples Beispiel: Vielleicht kennst du den Verhaltensforscher Pavlov und seine zur-Klingel-speichelnden Hunde. Wir benutzen diese Technik ebenfalls, aber im wahrsten Sinne des Wortes, um uns auf die Sprünge zu helfen und nicht, um zu sabbern!

Probiere auch folgende Übung:

– Spiele deinen Ausgangston so schön und genau wie du kannst.
Arbeite daran, bis du ihn zu deiner Zufriedenheit spielen kannst.

– Spiele den Zielton. Während du noch immer den Zielton greifst, stelle dir den Ausgangston vor, spüre im Geiste die Wechselbewegung und spiele dann real den Zielton.
Mache eine kurze Pause. („Heeey, ich habe gesagt ‚kurze', mach den Computer wieder aus!")
Zurück zur Sache: Spiele deinen Zielton so schön und genau wie du kannst.
Arbeite daran, bis du ihn zu deiner Zufriedenheit spielen kannst.
Spiele den Ausgangston. Während du noch immer den Ausgangston greifst, stelle dir den Zielton vor, spüre im Geiste die Wechselbewegung und höre/greife in der Vorstellung den Zielton.

– Nun spiele Ausgangs- und Zielton mit einer Pause dazwischen.
Verkürze diese Pause bei jedem Durchgang.

Jedesmal, wenn du Sprünge geübt hast,
male ein Teil des Bildes als Belohnung aus.
Nach getaner Arbeit hast du sicherlich eine Entspannung verdient!

1 = rot 2 = blau 3 = gelb 4 = orange 5 = grün 6 = braun 7 = violett

10. Auswendiglernen

Eine Schreckensvorstellung aller angehenden, vielversprechenden Musiker? Nicht doch: Wie eindrucksvoll ist es, wenn du so ganz lässig im kleinen Kreis zu deinem Instrument greifst, kurz dramatisch die Augen schließt (nur nicht übertreiben!) und dann mit Verve dein Paradestück auswendig präsentierst? Klingt nicht übel, oder?

Mach es dir leichter mit folgenden Tipps, und suche dir dabei die heraus, die du für dich gebrauchen kannst.

- Lege das Lernen in eine für dich gute Tageszeit.
- Ruhige Umgebung, keine Ablenkung.
- Den Notentext aufmerksam lesen, analysieren und innerlich spielen.
- Wichtige Stellen mit Fingersätzen/Atmungszeichen usw. versehen.
- Alles öfter durchlesen.
- Kleine(!), eventuell sehr kleine, Portionen einmal mit Noten, dann auswendig mit geschlossenen Augen spielen.
- Lernpausen einlegen (Frische Luft schnappen! Beweg' dich!).
- Die Stelle öfter durchspielen.
- Den Notentext abschreiben.
- Notennamen oder, noch besser, die Solmisations-Silben (siehe Seite 30) singen und dabei den Rhythmus klopfen.
- Belohne dich.
- Den Notentext auswendig aufschreiben.
- Jemandem, der mitlesen kann, auswendig vorspielen (falls sich kleine Fehler eingeschlichen haben!)
- Die Stelle auf Kassette aufnehmen und anhören (auswendig mitspielen!).
- Prüfe in den nächsten zwei Tage nach, ob du die Stelle noch auswendig kannst (dann erst wieder nach einer Woche).

1. Nimm dein Musikstück auf Tonband auf. Dazu läuft hörbar ein Metronom. Dann werden fünf Schritte ausgeführt:

- Zu dem Stück dirigieren. Dazu wird mit einer Hand der Schlag vorgegeben und mit der anderen (Körper, Mimik) die Interpretation dargestellt.
- Ein „Helfer" (Die Lehrperson? Eine Freundin? Ein Freund?) spult das Band vor oder zurück, und du musst die entsprechende Stelle in den Noten finden und zeigen. Verfolge sie mit dem Finger, bis das Stück bzw. ein Abschnitt fertig ist.
- Nun werden wieder willkürlich Stellen vom Band vorgespielt, und du musst sie in den Noten finden und von Noten weiter mitspielen.
- Jetzt werden wieder willkürlich Stellen vom Band vorgespielt, und du musst sie in den Noten finden (ja, unser Superdetektiv) und dann, sobald du kannst, mit geschlossenen Augen auswendig (!) mitspielen.
- Wieder werden „Zufallsstellen" vorgespielt, du setzt ohne Noten ein und spielst auswendig bis zum Ende mit. Einmal mit geöffneten, einmal mit geschlossenen Augen.

Schaffst du diese Schritte, dann bist du „geschafft"! Aber du kennst dein Stück perfekt!!!

2. Stelle dir die Stellen im Kopf im Tempo vor. Geht es noch nicht? Wo befinden sich Unklarheiten? In welchem Tempo kommt dein Geist „leicht" mit?

Noch ein Spiel um deine Konzentration zu fördern!

Welche Wege bringen die drei Spieler zu ihrem Ball?

11. Übe-Improvisation

Hier geht es darum, mit Stellen „'rumzuspinnen"!

Hier ein Beispiel:

Spiele die Stelle jetzt:
- in anderen Lagen, wenn du ein Streichinstrument spielst; auf dem Klavier oder als Bläser in einer anderen Oktave (wenn sie noch auf dem Instrument drauf ist)
- als Streicher auf anderen Saiten
- mit Verzierungen wie Triller, Praller, usw.

Zum Beispiel:

- unter „Weglassen" von einzelnen Tönen

- in Sequenzen; d.h., eine Figur oder die ganze Stelle wird, um einen oder mehrere Töne aufwärts oder abwärts verschoben, wiederholt

- von hinten (in der Fachsprache nennt man das einen „Krebs")

- wie ein Spiegelbild (die Spiegelseite wird parallel zur oberen Notenlinie gehalten)

- transponiert (siehe auch Kapitel „Transponieren", Seite 30)

- mit anderen Fingersätzen oder Griffen wenn du Streicher bist; als Klavierspieler kannst du nur die Fingersätze verändern, Bläser können die Artikulation anders machen

- durch Variieren, zum Beispiel:
  - rhythmische Abwandlungen (siehe Kapitel 14, Seite 28)
  - Taktabwandlungen (z. B. aus einem 4/4-Takt einen 3/8-Takt machen)

  - Moll-Parallelen (eine kleine Terz tiefer, Vorzeichen beachten) und gleichnamiges Moll (steht die Stelle beispielsweise in G-Dur, 1 Kreuz, spielst du jetzt in g-Moll, 2 B)

a)

b)

  - Verbindungstöne zwischen großen Intervallen einfügen. (Wahrscheinlich musst du dabei langsamer spielen.)

- Vorkommende Dreiklänge und Akkordbrechungen mit Umkehrungen spielen

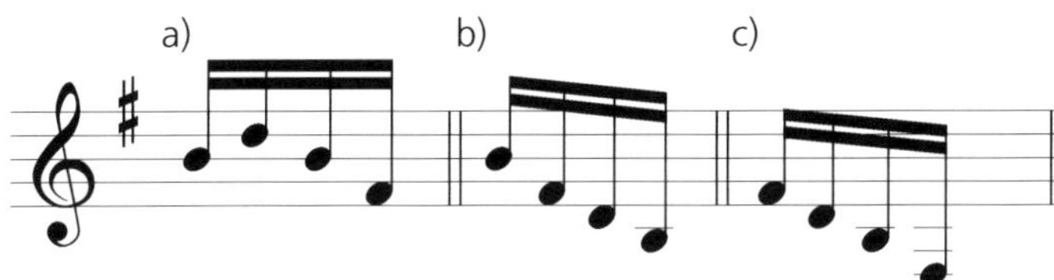

- in anderen Stimmungen spielen; statt fröhlich traurig, statt ernst heiter usw. (Achte darauf, was du dabei jeweils anders machst.)

- Wenn du mit bestimmten Spieltechniken auf deinem Instrument nicht so leicht klarkommst, kannst du versuchen, diese Technik mit irgendwelchen freien Tönen auszuprobieren. Du musst dich dann nicht um „richtige" Noten kümmern und kannst dich auf die Spieltechnik konzentrieren (siehe auch „Skelett-Üben" und „Übeliste", Seite 11 bzw. 24).

- abwechselnd singen/spielen, zum Beispiel drei Töne spielen und ein Ton singen oder vier Töne singen, zwei Töne spielen

Bei mehr melodischen Stellen kannst du folgendes probieren, um dich sicherer zu machen, um Klang, Ausdruck und Dynamik zu üben, aber auch deine Kreativität zum Zuge kommen zu lassen und Spaß zu haben. Bei solchen Stellen liegt der Übeschwerpunkt eben nicht nur auf der Technik.

Hier eine Beispielstelle (Hast du bemerkt, dass sie aus den gleichen Noten wie die Sechzehntelstelle von vorhin zusammengesetzt ist?):

– Umspiele die längeren Notenwerte

– Mache den Klang voller, zum Beispiel durch Akkorde und Doppelgriffe:

– Frage-Antwort-Phrasen; zum Beispiel kannst du die „Frage" aus dem Stück nehmen, die „Antwort" denkst du dir aus!

Frage:

Wenn du in einer Übegruppe übst:

– Jeder Spieler zieht eine Stimmungskarte (vorher gemeinsam basteln) wie „traurig", „jubelnd", „ruhig", „wütend". Ein Spieler fängt an und spielt die „schwere Stelle" in „seiner" Stimmung. Ob die Mitstreiter die Gemütslage erraten können?

– Einer oder eine von euch sitzt vor der Gruppe und hebt eine „Stimmungskarte" hoch, so dass ein Spieler/alle die Darstellung am Instrument musizieren kann/können.

– Eine Stelle wird taktweise auf große Karten geschrieben und nummeriert. Ihr habt die Aufgabe, die Karte zu spielen, die der Spielleiter, den ihr vorher bestimmt habt, erwürfelt. Würfelt er eine 3, spielt die Gruppe Karte Nr. 3. Währenddessen wird weiter gewürfelt, so dass beim Spielen keine Pause entsteht.

12. Übeliste

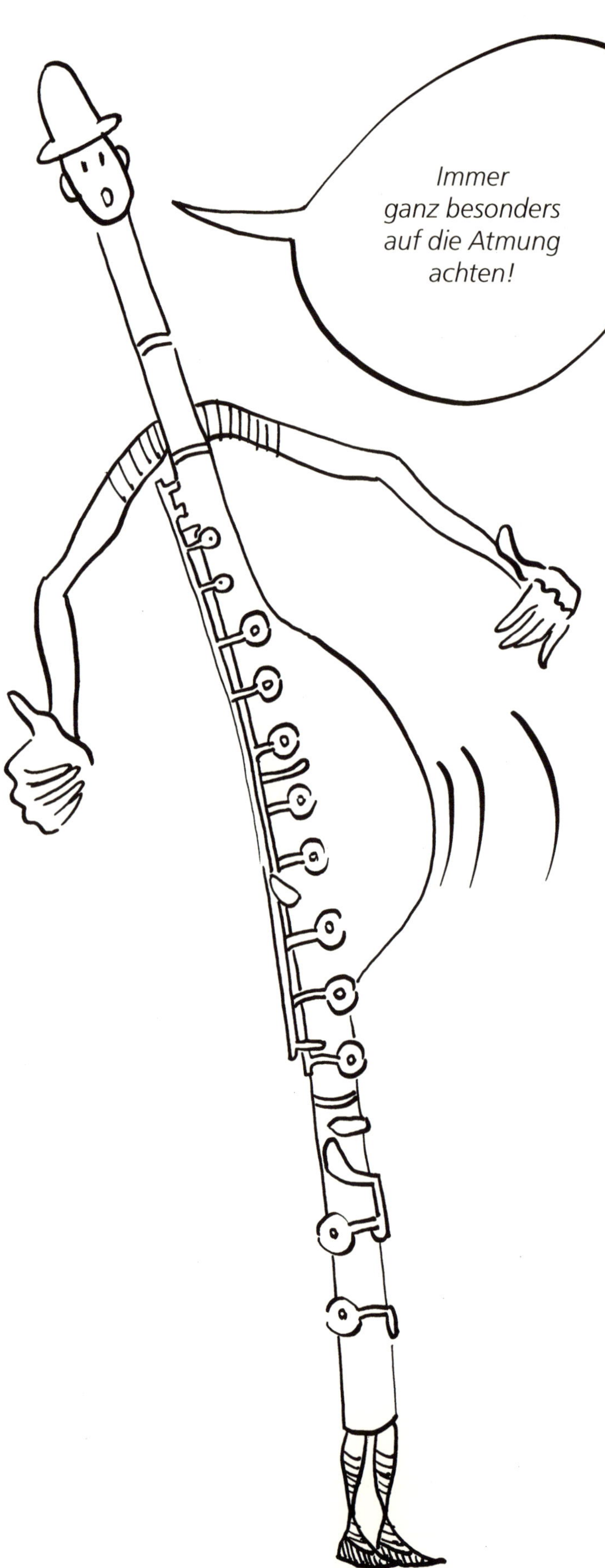

Es ist doch furchtbar langweilig, immer die gleiche Stelle wiederholen zu müssen. Und tatsächlich hast du effektiv wenig Nutzen davon, weil sich deine Aufmerksamkeit klammheimlich davonschleicht. Wenn du dagegen die gleiche Stelle immer anders gestaltest, wird die Überei spannend und ergiebig.
Denke einmal daran, was du alles bedenken müsstest während du eine Stelle einübst und gleichzeitig (!) auf alles, was das Spielen und die Musik ausmacht, achten wolltest:

- Körperhaltung
- Fingerhaltung
- Körperbewegungen
- Zungenbewegungen
- Fingerbewegungen
- Atmung und Atemzeichen
- Einsatz
- Ansatz
- Artikulation
- Stimmführung
- Verzierungen
- Bogeneinteilung
- Phrasierungen
- Dynamik

All dies und noch mehr! Aber du kannst nicht an „alles" zur gleichen Zeit denken. Wäre es nicht besser, wenn du deine Stelle oder Portion ein paar Mal spielen und jedesmal einen anderen dieser Punkte beobachten würdest?
Setze dir für jeden „Durchgang" ein besonderes Ziel!
Wenn du es spielerischer magst, kannst du die Felder auf der rechts abgedruckten Scheibe mit einzelnen „Aufgaben" beschriften, die Scheibe ausschneiden und mit dem Zeiger zusammenheften, so dass er sich drehen kann.
So hast du immer im Blick, auf was du dich gerade besonders konzentrieren willst.

Kopiere diese Seite (das ist wichtig, weil du sonst die Rückseite dieser Seite zerschneiden würdest, und da stehen wichtige und interessante Dinge drauf.), schneide den Übekreis und den Zeiger aus. Schreibe die dir wichtigsten Ziele in die „Tortenstücke". Befestige dann den Zeiger locker mit einer Musterbeutelklammer an der Scheibe, so dass sich der Zeiger leicht drehen lässt. Stabiler wird das Ganze, wenn du die ausgeschnittenen Teile auf einen Karton klebst. Wenn du mit Bleistift in die Felder schreibst, kannst du deine Übehilfe auch neu beschriften, wenn du andere Ziele einsetzen möchtest. So kannst du diese Übemethode spielerisch gestalten.

Und wer beim Üben Spaß hat, übt gerne und behält besser!

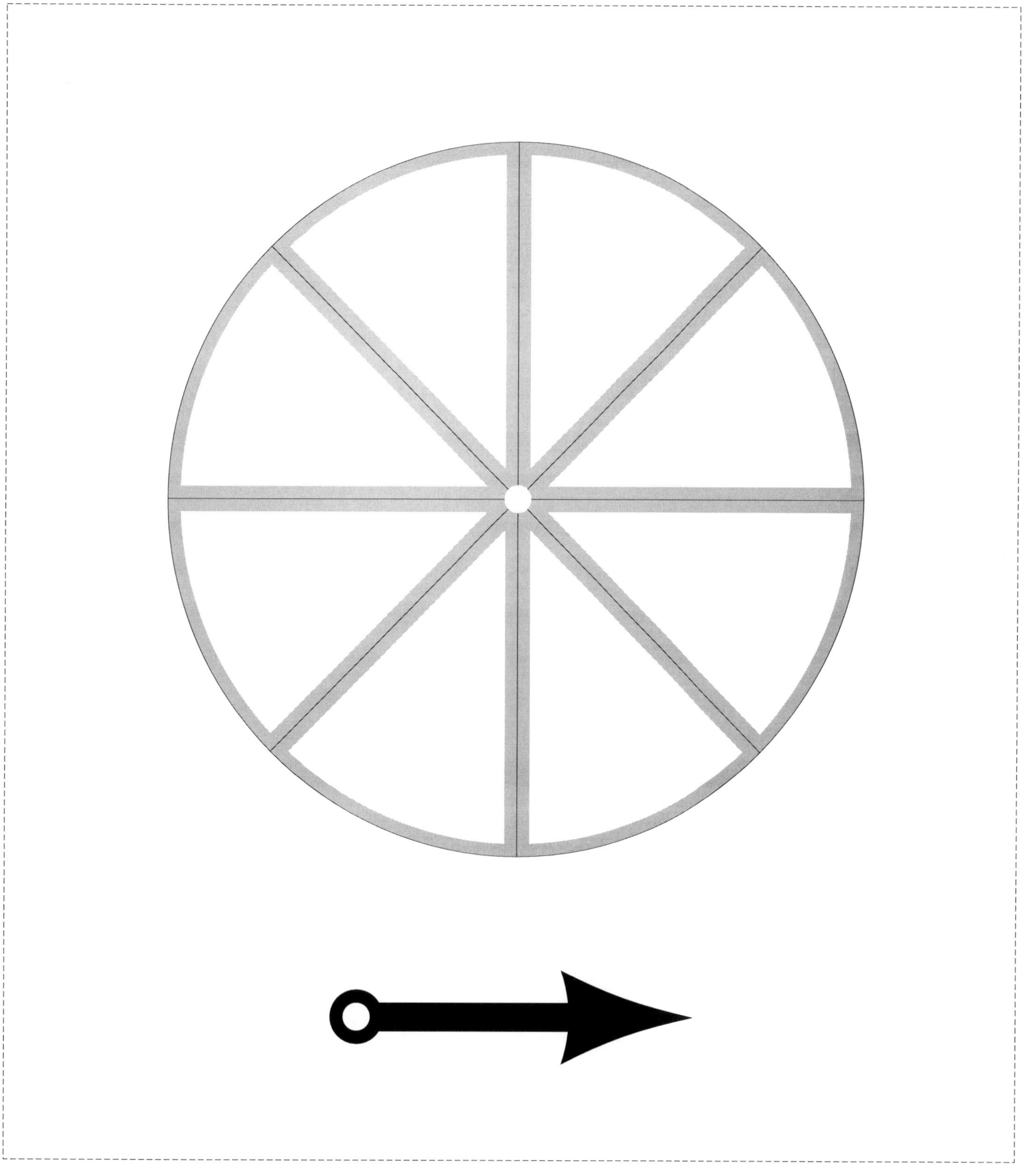

13. Muster bilden

Dein Gehirn arbeitet eigentlich sehr schnell. Es sei denn, es hat in zu kurzer Zeit zu viele Entscheidungen zu fällen. Dann bockt es.
Das ist häufig ein Grund, warum du nicht so fließend und schnell spielst, wie du es eigentlich könntest.

Probiere einmal das Spiel im grauen Kasten auf der rechten Seite aus, und lies dann hier weiter ...

Obwohl die Zahl der Geldstücke in etwa gleich bleibt, ist es leichter sie in kleinen Gruppen zu erfassen. Das Gehirn muss sich nicht zwischen unüberschaubaren Mengen „bewegen", sondern es „hangelt" sich sozusagen von Gruppe zu Gruppe. Der Inhalt jeder Gruppe wird als Einheit erfasst.

Versuche, so oft du kannst, deinem Gehirn leicht erfassbare Muster zu bieten statt unzähliger Einzelnoten! Durch folgende Vorschläge wirst du diese Art zu üben begreifen können:

Diese Stelle aus der Fantasie d-Moll von Mozart sieht zum Fürchten aus? Keine Angst, du kannst sie lernen. Sie ist ein gutes Beispiel für eine Passage, die vor allem technisch schwierig ist.

- Zuerst suchst du die Dinge, die dir von woanders her schon irgendwie bekannt vorkommen, in der ersten Hälfte z. B. Teile von Tonleitern (mit Strichen markiert). Tatsächlich: Da gibt es welche, die immer gleich sind – von C (4. Finger) auf D (1 Finger) abwärts. Das ist praktisch, denn auch die Fingersätze sind immer gleich.
- Dreimal kommt die Tonabfolge Cis-E-A (mit ⎵ markiert) mit gleichem Fingersatz vor. Mache zwischen dieser Gruppe und der Tonleiter, die danach folgt, eine kurze Pause (um dich geistig auf den Wechsel einzustellen). Die Pause dann immer weiter verkürzen, bis gar keine mehr nötig ist (siehe auch Kapitel 9, Seite 18).
- Hast du gemerkt, wie du ausgeatmet hast, sobald du die immer wiederkehrenden Teile der Stelle erkennen konntest? Aber am Anfang sieht man meist nur einen Wust von Tönen und bekommt einen Schreck.

Die zweite Hälfte ab ↓ ist etwas schwieriger, aber auch hier können wir Muster finden. Zum Beispiel sind 1. die Töne und 2. die Fingersätze in den beiden Einwürfen der linken Hand (mit ⌣ markiert) gleich. Probiere einmal, ob du die vier Töne als Akkord greifen kannst. Gut!
In der rechten Hand sind die Töne gleich, aber die Fingersätze nicht. Vorsicht – Falle! Was hält dich davon ab, die Fingersätze beim ersten Mal abzuändern (also 1 2 3 4), so dass du beim zweiten Mal nicht umdenken musst?
So schwer ist die ganze Stelle jetzt doch nicht mehr, oder?

Arbeite jetzt mit dem unten stehenden Notenbeispiel.

Die wiederkehrenden rhythmischen Muster (etwa in einer Sequenz[1]) kannst du aussuchen und einzeln für sich gestalten. Du kannst damit auch improvisieren (siehe Seite 22). Dann werden die Muster wieder „zusammengebaut". Was du früher immer nur ungenau hingekriegt hast, wird dir jetzt viel präziser gelingen. Bist du nicht fabelhaft?
Betone die Schwerpunkte einer Figur in dem Notenbeispiel.
„Spüre" den Rhythmus der Betonungen!
Suche Ungleichheiten und benutze sie als Muster.

[1] Das ist ein immer wiederkehrendes Muster auf verschiedenen Tonstufen.

Lasst uns froh und munter sein

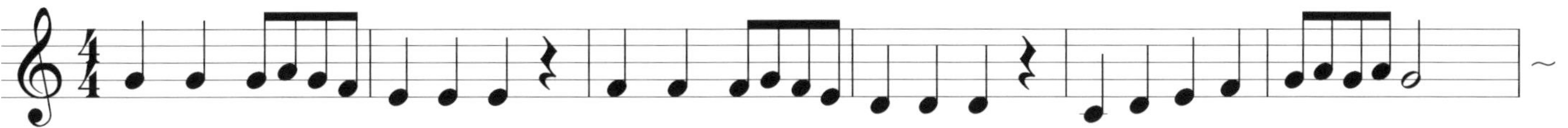

Für ein Bassinstrument:

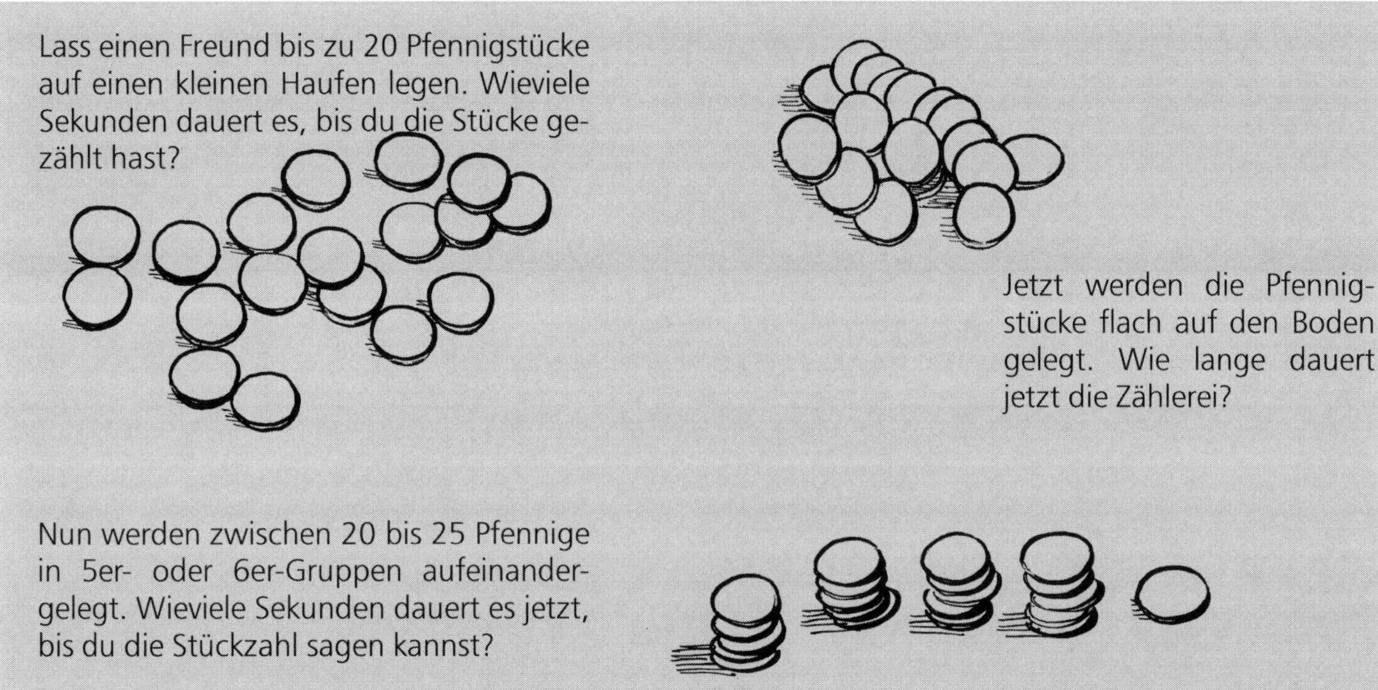

Lass einen Freund bis zu 20 Pfennigstücke auf einen kleinen Haufen legen. Wieviele Sekunden dauert es, bis du die Stücke gezählt hast?

Jetzt werden die Pfennigstücke flach auf den Boden gelegt. Wie lange dauert jetzt die Zählerei?

Nun werden zwischen 20 bis 25 Pfennige in 5er- oder 6er-Gruppen aufeinandergelegt. Wieviele Sekunden dauert es jetzt, bis du die Stückzahl sagen kannst?

Jetzt lies wieder auf der anderen Seite weiter.

14. Rhythmische Varianten

Eine sehr wirkungsvolle Art, eine knifflige Stelle zu knacken, ist, sie rhythmisch zu variieren. Wenn zum Beispiel eine Passage rhythmisch einfach nicht genau gelingen will, kannst du sie durch das rhythmische Gegenteil bearbeiten. Mache auch aus 3er-Gruppen 4er-Gruppen und umgekehrt!
Bei dieser Übeart ist es sinnvoll, nur abschnittsweise zu arbeiten.
Suche die rhythmischen Varianten heraus, die dich sehr fordern!
Sie nutzen dir am meisten!

4er-Gruppen Ausgangsfigur:

a
b
c
d
e
f 3
g 3
h 3
i
k
l
m
n 3
o 3
p 3

3er-Gruppen Ausgangsfigur:

a
b
c
d
e
f
g

Auf das Beispiel von vorhin angewendet:

4er-Gruppe

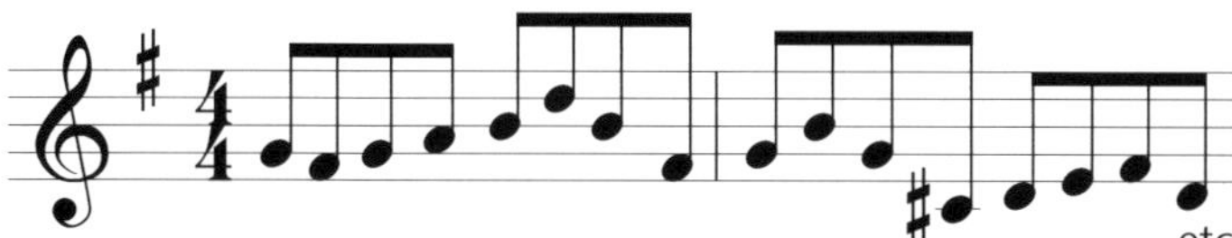

Varianten

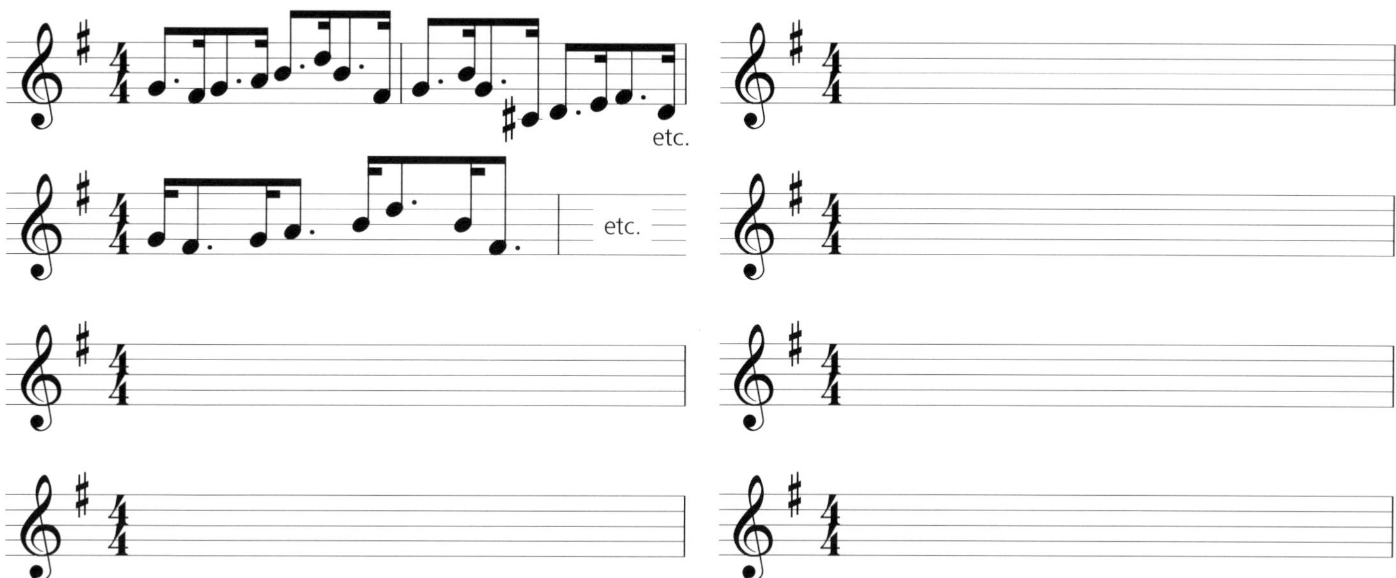

3er-Gruppe

Varianten

15. Transponieren

Transposition heißt, verständlich ausgedrückt, einen Abschnitt, eine Stelle oder ein Stück auf einem anderen Ton zu beginnen und in der neuen Tonart weiter zu spielen. Als Übemethode ist die Transposition äußerst bekömmlich, um die Intervalle (d. h. den Abstand der Töne voneinander) zu verdeutlichen. Spielst du eine Stelle ein paar Mal in einer anderen Tonart, wird dir die ursprüngliche „Fassung" dagegen oft kinderleicht vorkommen!

Wir fangen ganz einfach an:

- Singe den folgenden Abschnitt (das ist der Rest vom Lied von Seite 27) und dann spiele ihn auf deinem Instrument. Es wird vielleicht nötig sein, eine bequeme (bekannte) „Arbeitsoktave" zu suchen.

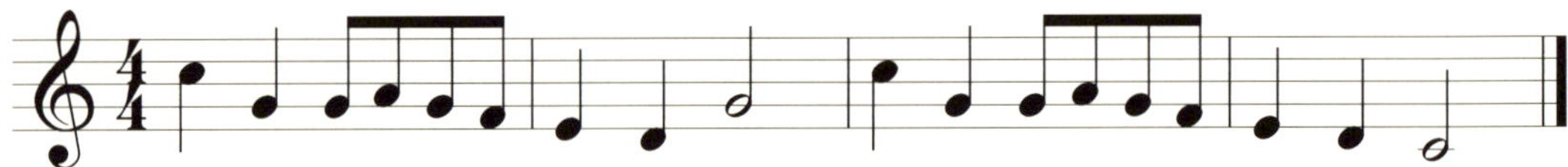

Für Bassinstrumente:

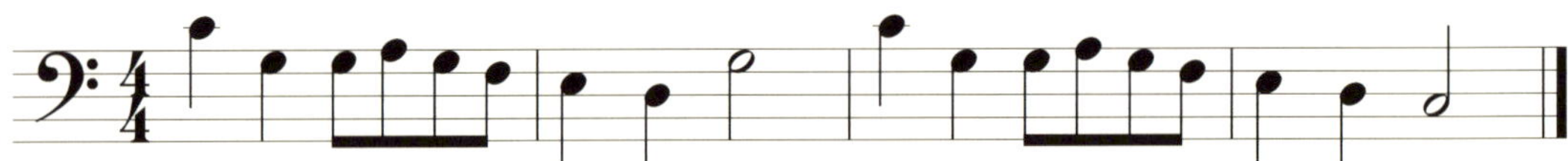

- Spiele den Abschnitt.
- Singe den Abschnitt einen Ganzton höher.
- Spiele den Abschnitt einen Ganzton höher. Die Handzeichen aus der Solmisation (Methode um Melodien zu lernen ohne Noten) helfen dir dabei. Beherrschst du sie schon? Sie sind abgebildet, damit du dich an sie erinnern oder sie vielleicht sogar neu lernen kannst. Dein Lehrer kann dir dabei helfen. Eventuell lernt ihr sie gemeinsam.

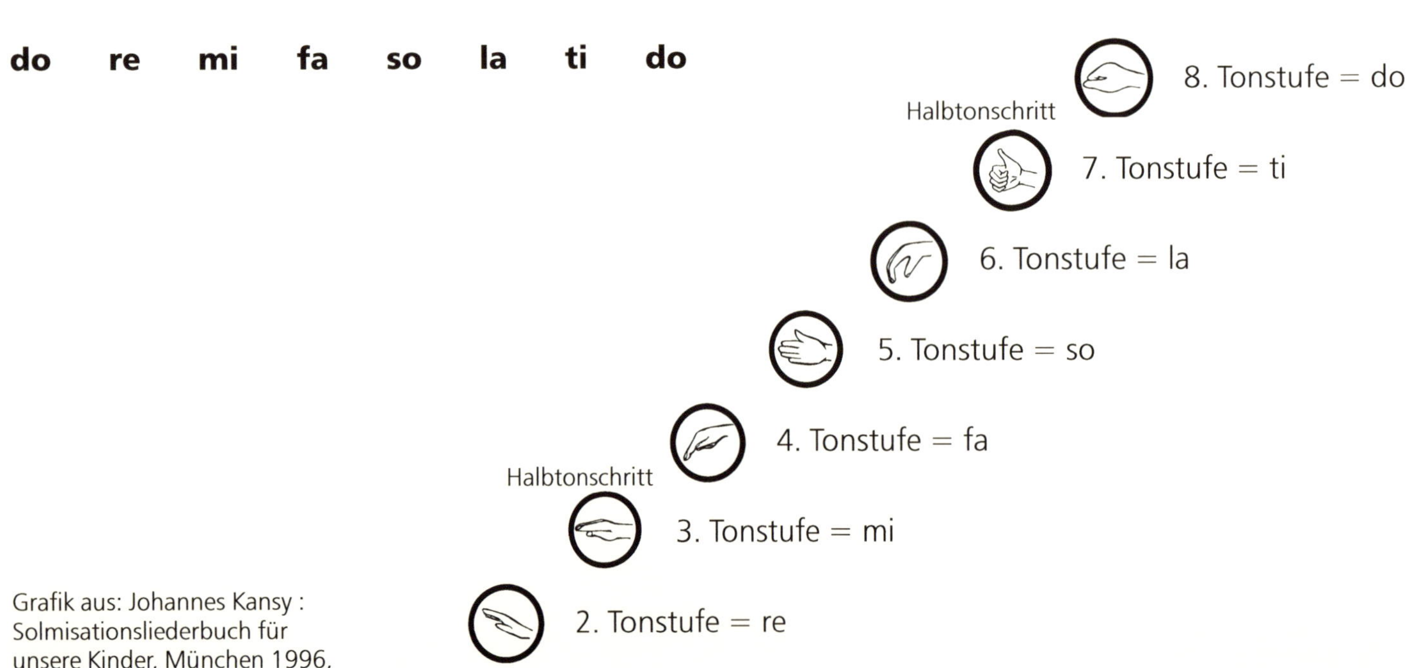

Grafik aus: Johannes Kansy : Solmisationsliederbuch für unsere Kinder, München 1996, JK 101
Abdruck mit freundlicher Genehmigung.

Jetzt entspanne dich erst einmal.
Finde den richtigen Weg in diesem Labyrinth!

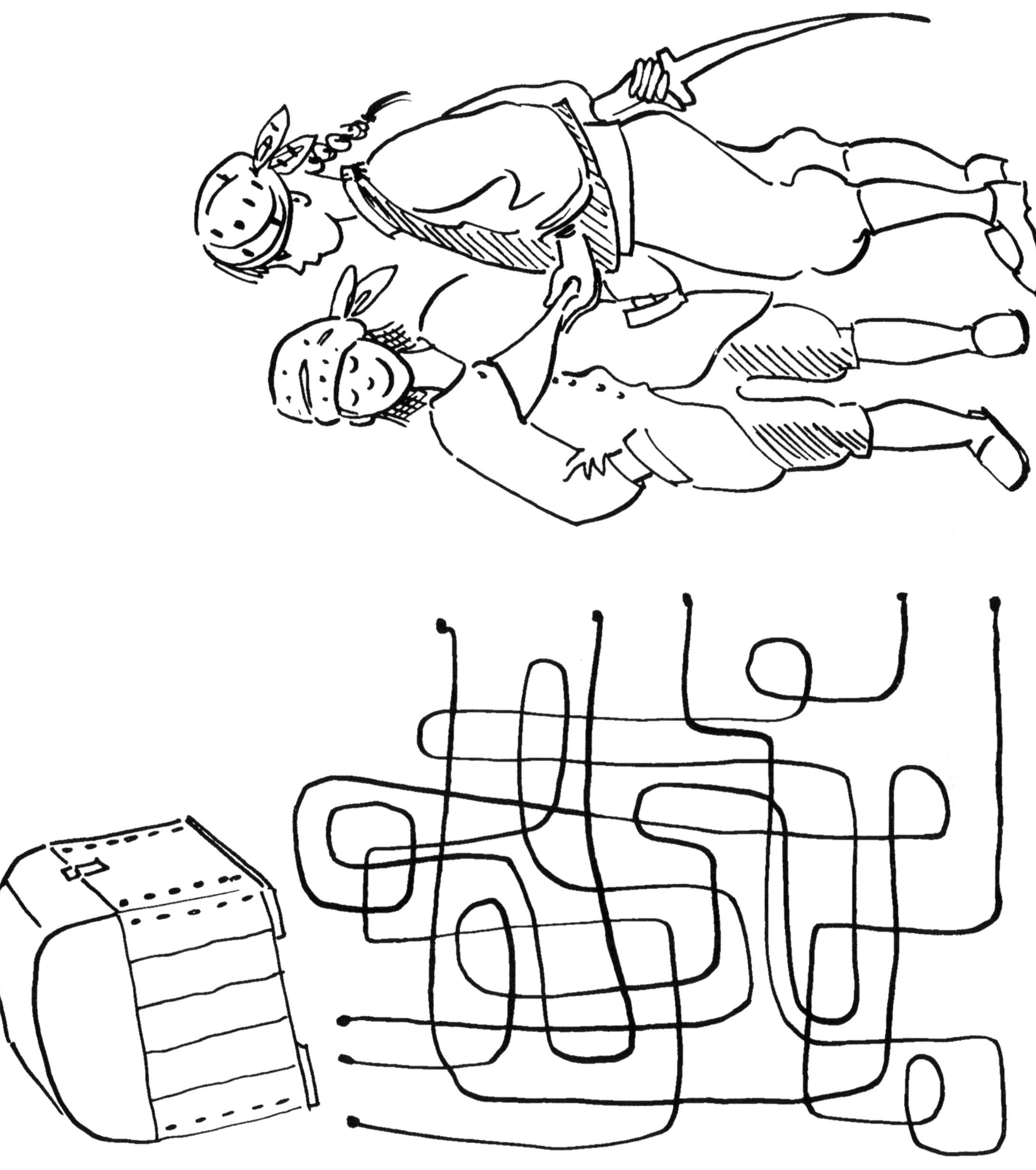

Der erste Übungsabschnitt war relativ leicht, weil er sich meistens schrittweise (tonleitermäßig) bewegt.

- Du kannst diese Art auch ohne Noten üben, indem du bekannte Kinderlieder ohne Noten in verschiedenen Tonarten spielst, d.h. zum Beispiel „Alle meine Entchen" auf C, G, F, oder welchem dir angehmen Ton auch immer, anfängst. Wie wäre es mit „Ist ein Mann in' Brunn' gefallen"? Fühlst du dich sicherer, kannst du Lieder mit größeren Intervallen probieren wie „Hänschen klein", „Im Märzen der Bauer" usw.

- Probiere, verschiedene Intervalle wie große Terzen, Quinten, Quarten, usw. von einem Ausgangston nach oben oder nach unten zu spielen.

  Zum Beispiel vom G aus:
  - eine Quint nach oben
  - eine Oktave nach unten
  - einen Ganzton nach oben
  - eine Sexte nach oben

Die folgende Übung kannst du auch in der Übegruppe machen:
- Spieler A spielt einen Ton, sagt den Tonnamen und schlägt ein Intervall nach oben oder nach unten vor.
- Spieler B spielt Ausgangs- und Zielton, also das erwünschte Intervall. Dann gibt Spieler C eine neue Aufgabe usw. durch die ganze Gruppe.

- „Intervallkoffer packen"; nach dem Prinzip des Spiels „Koffer packen"
  - Spieler A spielt einen Ton, nennt den Tonnamen und schlägt ein Intervall nach oben oder nach unten vor.
  - Spieler B spielt den Ausgangston, nennt das Intervall, spielt den Zielton und schlägt noch ein weiteres Intervall nach oben oder nach unten vor.
  - Spieler C muss alle bisher vorgekommenen Töne spielen und die Intervallnamen nennen. Er schlägt wiederum Spieler D ein Intervall vor, und dieser muss ganz von vorne alle Töne spielen und alle Intervalle benennen!

- Jeder Spieler hat eine Karte mit einem Intervall (gemeinsam basteln) und der Richtung darauf vor sich auf dem Pult (z.B.: „große Terz höher" oder „Quinte tiefer").
  - Ein Anfangspieler wird bestimmt. Dieser spielt einen Ton, sagt den Tonnamen und schaut jemanden aus der Gruppe an. Dieser sagt „Von .... aus, spiele ich eine .... höher (tiefer)" – eben das, was auf der Karte steht. Dann spielt er das Intervall.
  - Nun bestimmt der zweite Spieler den Ausgangston und den neuen Ausführenden.

- Die Karten werden für ein neues Spiel ausgetauscht.
  - Jeder Spieler hat eine Karte mit einem Intervall und einer Richtung (nach oben oder nach unten) darauf vor sich auf dem Pult (z.B.: „große Terz höher" oder „Quinte tiefer"). Diese Karte darf von den anderen nicht gesehen werden.
  - Ein Anfangsspieler wird bestimmt. Dieser spielt einen Ton, nennt den Tonnamen und spielt das Intervall auf seiner Karte vor. Die übrigen Spieler sagen, was für ein Intervall gespielt wurde. Dann ist der nächste dran.

- Bastle Intervallkarten aus DIN-A5-Karteikarten.
  - Jeder Spieler zieht eine Karte, nennt und spielt das Intervall; Karte zurücklegen und neu mischen.
  - Drei bis fünf Intervallkarten werden von einem Spieler gezogen und für die anderen Spieler unsichtbar auf sein Pult gelegt. Dann spielt er das „Motiv" aus diesen Intervallen vor. Die Gruppe nennt die gehörten Intervalle, spielt das Motiv nach und schreibt die Noten auf.
  - Vermische zwei Arten Intervallkarten, z.B. kleine Terzen und reine Quarten. Ein Spieler – oder sogar die ganze Gruppe – versucht die Intervalle in zwei artgleiche Haufen zu sortieren. Wer schafft diese Aufgabe in weniger als einer Minute?! Geht auf „Quartenjagd". Sucht alle Quarten in einem Stück bzw. Abschnitt. Das nächste Mal geht ihr auf „Terzsafari" usw.
- Singe und deute mit Handzeichen folgenden Abschnitt:

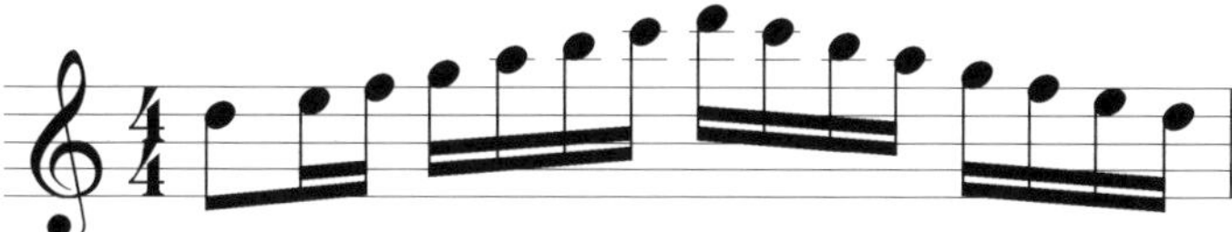

Für Bassinstrumente:

Nun bist du soweit!

- Spiele den Abschnitt.
- Singe den Abschnitt auf einem neuen Ausgangston beginnend.
- Spiele den Abschnitt auf dem neuen Ausgangston beginnend.
- Wiederhole den ganzen Vorgang mit einem neuen Ausgangston.
- Nun kannst du eine Melodie aus einem deiner Stücke nehmen und versuchen, sie einen Ganzton höher zu spielen.
- Wenn du diese Aufgabe geschafft hast, versuche die Melodie einen Ganzton tiefer als den Ausgangston zu spielen.

Bist du jetzt ganz mutig?!

- Spiele die Melodie
  - eine große Terz höher,
  - eine Oktave höher, eine Quint tiefer,
  - eine große Sexte tiefer,
  - eine kleinen Septime höher,
  - einen Halbton höher.

Es gibt natürlich noch andere Möglichkeiten. Stelle dir selbst Aufgaben. Dir fällt gewiss noch etwas Lustiges ein.

Gratuliere! Du bist dabei geblieben und kannst wahrscheinlich schon sehr gut transponieren. Setze die Transposition als Übevariante ein und du gewinnst eine beachtliche Sicherheit im Umgang mit deinem Instrument!

16. „Im Kopf üben“ oder „Mentales Training“

„Practice makes perfect“ („Übung macht perfekt“) ist ein Sprichwort aus Amerika. Ich möchte den Spruch umändern: „Practice just makes permanent“ („Übung [sprich: Wiederholung] allein heißt Stillstand!“)! Wenn du immer wieder dieselbe Stelle gedankenlos runterdudelst, verbesserst du dich nicht!
Die bloße Wiederholung festigt die schon vorhandene Leistung, sei sie nun gut oder schlecht.
Wenn du übst, besteht die Gefahr, dass du zwischendurch Fehler machst. Das ist eigentlich nicht so schlimm. Nur: Dein Gehirn ist so schnell, dass es sehr rasch auch Falsches lernen kann. Um zu vermeiden, dass du Fehler einübst, kannst du im Geiste die Problemstellen „reinigen“ bis du sie dir perfekt vorstellen kannst. Und das, was du dir vorstellen kannst, kannst du auch spielen! Man nennt das „Üben im Kopf“ oder „Mentales Training“.

Um diese Methode anwenden zu können, musst du lernen, innerlich zu „sehen“. Die lebensnahe Entwicklung „innerer“ Bilder ist ausschlaggebend, denn vorgestellte Situationen sind für das Gehirn genauso Erfahrungen, wie tatsächlich erlebte. Das klingt zwar ulkig, stimmt aber.
Mit dieser „Technik“ erlernst und verbesserst du einen Bewegungsablauf durch intensives Vorstellen. Deswegen sind Übungen wichtig, bei denen die jeweiligen Dinge, die du üben willst, dir als Bild im Kopf ganz deutlich werden. Je genauer die Vorstellung, je schärfer das Bild – wie im Sucher einer Kamera – desto besser.

Wenn du Probleme damit hast, dir dein Üben genau vorzustellen, versuche es mit leichteren Vorübungen. Benutze Situationen, die du spielend im Griff hast.

1. Wie fühlt es sich an, ...

- ... den Ständer beim Fahrrad mit dem rechten Fuß herunterzudrücken? (Welche Hand hält den Sattel fest? Welche Hand ist am Lenker? Wie fühlt es sich an, wenn das rechte Bein gehoben wird? usw.)
- ... den Arm zu heben und die Finger fest zu strecken?
- ... mit einer Nadel leicht gegen einen Finger zu drücken, und dann den Druck etwas zu erhöhen?
- ... aufzustehen, zur Tür zu gehen und öffnen?

2. Jetzt probierst du diese Technik mit dir bekannten Liedern.

- Singe ein dir bekanntes Lied und gib gleichzeitig mit Handzeichen die Tonhöhen an.
- Dann „denke“ dasselbe Lied, singe es innerlich mit und zeige durch Handzeichen, entsprechend dem Rhythmus des Liedes, die Tonhöhen an.

3. Dann kannst du versuchen, dir vorzustellen, vertraute Musikstücke (wahrscheinlich eher Teile davon) zu spielen.

- Entspanne dich etwas (siehe Seite 6). Die Entspannung macht dich lernfähiger. Schließe die Augen wenn du magst, und stelle dir vor, du spielst dein Lieblingsstück. Versinke in der Situation. Spüre dein Instrument, fühle in deiner Vorstellung die nötigen Bewegungen. Und nun schau dich an: Ist alles wundervoll, was du siehst? Oder solltest du gerader stehen, den Bogen anders führen, anders atmen? Hörst du, wie du jeden Ton sauber spielst? Benutze alle deine Sinne – sogar das Riechen und Schmecken!

- Dann stelle dir genauso intensiv vor, wie du aufrecht stehst, den Bogen richtig führst, den Ton noch sauberer spielst. Wie machst du das in deiner Vorstellung? Wie fühlst du dich? Wiederhole das „in echt"! Je besser und plastischer du dich in deine musikalische Fantasiewelt sinken lassen kannst, desto sicherer wirst du beim Üben und beim Auftritt.

„Üben im Kopf" und am Instrument bietet eine optimale Vorspielvorbereitung

Am besten erlernst du diese Technik natürlich mit einem Lehrer. Es kann zunächst nötig sein, den gedanklichen Ablauf dieser Übestunde im Kopf etwa durch Abfragen oder per Durchsprechen von einer anderen Person kontrollieren zu lassen.
Diese sollte langsam anfangen, z.B. mit einzelnen Takten, und fragen „Welche Note steht am Anfang des zweiten Taktes?" „Was für einen Rhythmus hat der 4. Schlag im ersten Takt?" usw. Dadurch lernst du, Musik nicht ausschließlich durch den Klang innerlich zu verfolgen.
Der Aha-Effekt stellt sich allerdings nicht so schnell ein und es gehört, wenn du die Sache im Alleingang versuchst (einfacher und besser ist es eben mit Lehrer), ein gewisses Maß an Disziplin dazu, diese Technik auch konsequent einzusetzen. Aber versuche es trotzdem!

4. Präge dir einen Takt eines deiner Musikstücke ein und spiele ihn mehrmals auswendig. „Betrachte" mit geschlossenen Augen im Geiste den Takt, und versuche folgende Fragen zu beantworten:

- Welche Noten werden mit dem 1. Finger gespielt?
- Welche Töne werden im Abstrich (Aufstrich) gespielt? (Streicher)
- Sind halbe Noten dabei?
- Welche Töne dann?
- Wo atme ich am besten? (Bläser)

5. Folgende Methode dürfte dir sehr leicht fallen:

- Spiele eine Phrase aus einem Musikstück vor, das du gerade lernst. Dann anhalten und kurz entspannen.
- Spiele diese Phrase in deiner Vorstellung mit dem gleichen Bewegungsgefühl. Du sollst sehen, hören, fühlen, wie du die Phrase übst, ohne dich wirklich dabei zu bewegen – wieder anhalten.
- Wieder am Instrument „in echt" spielen – dann anhalten und Kurzentspannung.
- Nochmal in der Vorstellung.
- Nochmal ausführen.

Klappt dein Spiel jetzt noch besser?

- Suche ein einfaches Stück aus deinem Repertoire oder ein einfaches Kinderlied aus. Nimm ab und zu ein Metronom zu Hilfe wenn du es brauchst, um auch „innnerlich" das Tempo zu halten.
- Versuche, das Lied im Kopf „durchzuspielen", d.h. du sollst das Gefühl haben, das Stück zu spielen, obwohl du dich gar nicht wirklich bewegst!
- Nun am Instrument spielen. Übe unsichere Stellen des Liedes erst im Geiste, und dann richtig.

6. Teile eine Reihe schneller Töne (z. B. Achtel, Sechzehntel) in Blöcke von vier bzw. sechs Noten ein. Die erste Gruppe wird aktiv gespielt, die zweite nur stumm gegriffen oder „in der Luft gespielt". Die dritte Gruppe soll dann wieder aktiv gespielt werden usw. Dann machst du das Gleiche, fängst aber mit der zweiten Gruppe an. Danach mit Gruppe 3, 4 und 5. Und so weiter.

7. S–S–M
Teile das Stück in Phrasen (musikalische Abschnitte) ein. Diese werden in der folgenden Reihenfolge ausgeführt:

SPIELEN	SINGEN	IM KOPF SPIELEN (mental)
1. Phrase	2. Phrase	3. Phrase

usw.

- Während des Spielens kannst du auch mitsingen.
- Dann sollen die Phrasen abwechselnd gesungen und gespielt werden (Vergleiche das Kapitel „Übe-Improvisation", Seite 22).
- Fange an irgendeiner x-beliebigen Stelle auswendig zu singen an. Sobald du kannst, steige auswendig spielend ein.
- „Fülle" eventuelle Gedächtnislücken, indem du die Stimme einfach weitersingst. Benutze diese Technik während eines Vorspiels, falls du plötzlich etwas vergisst oder auch nur unsicher werden solltest. Das Publikum wird bestimmt nichts hören!

Wenn ich mental übe, nehme ich gern ein Metronom zur Hilfe.
Ich teile ein Stück auf und wechsele aktives und mentales Üben ab!
Das Metronom hilft, dass ich „ehrlich" bleibe und nicht durch das Stück durchhusche.
Mentales Üben macht in der Gruppe besonders viel Spaß!

8. Probiert folgende Spiele aus:

- Einer von euch fängt irgendwo mitten im Stück zu spielen an. Die anderen suchen die Stelle in den Noten und verfolgen den musikalischen Ablauf mit dem Zeigefinger.

- Ein „Vorspieler" fängt irgendwo mitten im Stück zu spielen an. Ihr anderen sucht die Stelle in den Noten und gesellt euch spielend, so schnell ihr könnt, dazu.

- Wieder fängt einer von euch irgendwo im Stück auswendig zu spielen an. Die anderen gesellen sich (auch auswendig!), so schnell sie können, dazu. Plötzlich hört der Vorspieler zu spielen auf und legt den Zeigefinger auf die Lippen. Dies bedeutet: „Im Kopf weiterspielen, bis ich das Zeichen zum Weiterspielen gebe". So wechselt ihr in der Gruppe aufmerksam zwischen realem und mentalem Spiel!

- Einer von euch beginnt den Rhythmus eines Liedes auf einer leeren Saite/ Trommel / Instrumentenkörper zu spielen und die anderen spielen entweder den Rhythmus oder die Töne (im richtigen Rhythmus!) mit.

- Einer von euch spielt ein Lied „in der Luft", d.h. „Tue so, als ob du das Lied spieltest". Sobald die anderen das Lied erkennen, schließen sie sich auf dem Instrument an. Vielleicht möchten ein paar von euch stattdessen auch „in der Luft" mitspielen?

- Ihr wechselt euch am gleichen Stück mit aktivem Spielen ab. Vorher sucht ihr jemanden aus, der über ein Zeichen angibt, wer jeweils „dran" ist, also real spielen soll. Während dieser Jemand spielt, spielen die übrigen weiter in der Vorstellung mit.

17. Rhythmus üben

Das Beste, was du für den Rhythmus tun kannst, ist die Rhythmussprache nach Kodály zu benutzen!

1. Stelle ein Metronom auf ♩ = 60. Sprich diese Notenwerte auf den Silben.

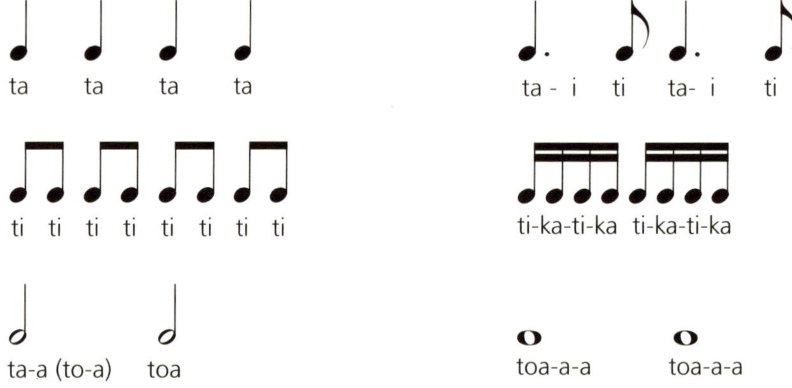

2. Rhythmische Muster lassen sich prächtig sprechen. Sogar der Übergang von Triolen zu Duolen lässt sich mit Worten leichter realisieren:

3. Bastle „Rhythmuskarten" aus Karton. Einzelne rhythmische Motive lassen sich so ganz prima für sich üben.

4. Lege mehrere Rhythmuskarten nebeneinander auf dein Pult. Die Rhythmen kannst du
- mit der Rhythmussprache sprechen,
- auf einem Ton abspielen,
- klatschen,
- auf einer Trommel schlagen.

5. Lege den Rhythmus einer rhythmisch kniffligen Stelle mit Rhythmuskarten auf den Tisch und klatsche das fertige „Produkt".

6. Denke dir kurze, rhythmisch prägnante Sätze aus und übertrage die rhythmischen Werte
- in die Rhythmussprache (ta, ti-ti, ta-a, usw.),
- aufs Papier,
- auf Rhythmuskarten

oder
- suche die Rhythmen aus den schon vorhandenen Rhythmuskarten heraus!

7. Stelle das Metronom auf 60. Wiege dich zu dem Schlag leicht seitwärts hin und her (oder vor und zurück) .
- Bewege dich im Viertelrhythmus, aber spiele Achtelnoten auf deinem Instrument dazu. Es hilft, Wörter dazu zu sprechen, die zum Rhythmus passen.
- Bewege deinen Körper weiterhin zum Viertelschlag = 60, aber spiele Sechzehntelnoten dazu.
- Jetzt probiere Triolen. Eventuell kann das Wort „Stephanie" oder „Kaugummi" (je nach Hunger) mitgesprochen/mitgedacht werden. Dein Körper wiegt sich ganz leicht und entspannt dazu.

8. Nimm die rhythmisch schwierigen Stellen auf Tonband oder Kassette auf und versuche, diese Aufnahme zu dirigieren. So entdeckst du leichter rhythmische Ungenauigkeiten.

9. Stelle dir vor, ein Dirigent steht vor dir. Spiele die Stellen, bei denen du Schwierigkeiten hast, vor und „sieh" innerlich den Dirigenten den Takt schlagen.

Auf der nächsten Seite findest du ein Bild.
Jedesmal, wenn du eine Stelle korrekt spielst, ziehe einen Strich zur nächsten Zahl.

1 34

33
2
32
31
30
29
28
3
4
25
26
27
5

7
6
8
24
23
9
10
21
22
17
12
16
20
11
13
15
18
19
14

18. Noten leichter lernen

1. Spiele oft nach Gehör, meistens Lieder oder bekannte Melodien.

2. Solche Lieder kannst du durch Handzeichen oder Körperaktionen darstellen. Singe dazu entweder den oder irgendeinen Text, die Notennamen oder Solmisationssilben (siehe Seite 30).

3. Wenn du kannst, singe die Notennamen während des Spielens.

4. Singe die Fingerzahlen (oder Griffe) während des Spielens. Bläser können dabei natürlich nicht blasen! Nur stummes „Durchfingern" genügt.

5. Verfolge die Tonfolge auf einer Grifftabelle.

6. Lege Buchstabenkarten für das jeweilige Lied (oder ein erfundenes) aus und spiele danach.

7. Nimm dir Notenkarten mit einzelnen Noten darauf, nenne die Namen, singe und spiele sie.

8. Lass dir einzelne Notennamen vorsagen, nenne den Fingersatz, zeige die Note auf einer Grifftabelle, schreibe sie auf, spiele und singe sie, wenn möglich mit dem Tonnamen dazu.

9. Lege Notenkarten, z.B. für eine Saite oder Noten innerhalb einer Oktave o.Ä., zusammen auf einen Haufen. Dann kannst du
- die Karten einzeln abspielen und dazu die Tonnamen singen,
- drei bis fünf Notenkarten ziehen, die Notennamen nennen und die Noten in der hingelegten Reihenfolge spielen,
- „gekonnte" Karten sammeln,
- eigene Kompositionen mit Noten- oder Buchstabenkarten legen und aufschreiben. Trage ggf. auch Fingersätze ein.

Male die Note, die du lernen möchtest, in die Luft oder auf deinen Arm! Es kann aber auch jemand die Note mit dem Finger auf deinen Rücken malen! Mit Notenlinien, versteht sich!

Noten, die groß sind, sind leichter zu lesen. Mache ein Fotokopie deines Stückes (oder einzelnen Stellen) und vergrößere sie um 150 bis 200 Prozent! Die Notennamen kannst du mit einem im Schreibwarenladen erhältlichen Silberstift auf die Notenköpfe schreiben. Jede Note, die du gelernt hast, kannst du dann mit einem schwarzen Filzstift wieder ausfüllen.

Tipps

1. Lass dir bekannte Stücke von deinem Lehrer/deiner Lehrerin oder einem Freund oder Freundin oder Geschwistern oder ..., oder ..., oder ... vorspielen. Währenddessen zeigst du mit dem Zeigefinger auf die Noten.

2. Alle Lieder kannst du auf folgende Weise singen:
- mit Text,
- mit Text und Handzeichen,
- mit Fingersatzsprechen,
- mit Notennamen und Handzeichen.

19. Lampenfieber bewältigen

Ich habe in dieser Übefibel schon oft von der Notwendigkeit der Entspannung einschließlich ihrer Techniken gesprochen. Entspannung kann auch bei Lampenfieber helfen. Wer allerdings schon mal so gezittert hat, dass er kaum eine Note zustande bringen konnte, weil der Hals wie „zugeschnürt" war, weiß, dass die wohlige Entspannung von zu Hause unter diesem Druck verschwinden kann. Da steckt man ganz schön in der Patsche!!!

Lampenfieber ist sehr oft eine empfindliche Reaktion auf die Einbildung, vom Publikum beobachtet, beurteilt und/oder abgelehnt zu werden. Wenn du dich stark und fabelhaft in deiner Haut fühlst, macht dir das nicht die Bohne aus. Denkst du aber negativ über deine Erscheinung beim Vorspiel, trifft dich jeder Blick wie ein Schuss aus dem Dickicht.
Also, es ist ganz einfach: Fühl dich einfach gut! Geht nicht? Und ob!

Es gibt ein paar Tricks, die man schon einige Zeit vor dem Auftritt anwenden sollte. Einer davon ist, sich einfach vorzustellen, wie sich die unangenehmen Sachen in deinem Kopf verändern lassen. Du weißt, wie Clowns sich schminken, um anders zu erscheinen. Tatsächlich funktioniert die Sache auch innen. Du kannst die Fantasie zu deinem Vorteil umschminken!

Dazu gehört folgende Übung, die nicht nur außerordentlich nützlich ist, sondern auch noch Spaß macht. (An den Stellen, wo im Text Punkte erscheinen, halte einen Moment inne und gucke, was passiert.)

1. Schließe die Augen. Gehe im Geiste zurück und finde eine Situation aus der Vergangenheit, in der du Lampenfieber spürtest. Achte auf die Worte, die du dir damals selber gesagt hast. (...) Was für Bilder nimmst du wahr? (...) Wenn diese Bilder farblos und grau sind, bringe nach und nach etwas Farbe hinein und beobachte deine Gefühle. (...)
Nun schaue innerlich das Publikum an und beobachte erneut deine Gefühle und inneren Gespräche. (...) Was in deiner Vorstellung macht dir schlechte Gefühle? (...) Suche eine Person aus und ändere ihren Gesichtsausdruck, bis du ein gutes Gefühl spürst. (...) Vielleicht schaut diese Person dich jetzt ganz freundlich und wohlwollend an ... (...)
Gehe im Geiste von Person zu Person und stelle Augenkontakt her. (...) Du kannst die Gesichtsausdrücke so gestalten, dass die Menschen dich freundlich und interessiert anlächeln. (...) Ändere das Bild in deinem Kopf, bis es dir gut tut, es zu betrachten. (...)

Dieses positive Gefühl kannst du verankern, also mit einer Handlung verkoppeln (Konditionierung, siehe auch Seite 18), damit du das positive Gefühl immer „abrufen" kannst, wenn du es brauchst. Atme z.B. tief ein, während du daran denkst. Oder drücke sanft mit einem Fuß gegen den Boden. Brauchst du später ein positives Gefühl, atme tief ein oder drücke mit dem Fuß – das Gefühl kommt wieder!

Der Talisman der Stärke

Wichtig ist es, bei der Arbeit an der Lampenfieberbewältigung deine eigenen Stärken immer wieder zu erleben und auch (für später!) zu behalten. Wir haben Quellen der Kraft in der Seele wie Humor, Liebe, Fröhlichkeit, Ausdauer. Und wir haben körperliche Stärken wie Schnelligkeit, Kraft, Lebhaftigkeit.

2. Wenn du ein gewünschtes Ziel (z. B. „Ich möchte frei und konzentriert vorspielen können!") klar erkennst, stelle dir die Frage: „Welche meiner starken Seiten brauche ich, um frei und konzentriert vorspielen zu können?" Vielleicht antwortest du: „Fröhlichkeit, freies Atmen, lockere Körperhaltung, warme Hände". Denke nach: Bei welchem schönen Ereignis hattest du warme Hände, Fröhlichkeit usw.?
Suche sorgfältig in deiner Erinnerung nach Erfahrungen, die du gehabt hast und in der du genau die Stärke ________ erlebt hast. (...) Vielleicht hattest du eine solche Erfahrung erst in letzter Zeit, (...) oder dir fällt vielleicht etwas aus länger zurückliegender Zeit ein. (...) Genieße wieder das Gefühl von ________, das du damals erlebt hast. (...)
Und wenn die angenehmen Gefühle am stärksten sind, hebe die Schultern und atme tief ein, langsam aus und lasse die Schultern sinken. Das Senken der Schultern wird dich später daran erinnern. Es wird dein ständiger „Talisman der Stärke" sein, der im Gegensatz zu Hasenpfoten oder den berühmten Knoten im Taschentuch tatsächlich funktioniert.
Mache nun eine kurze Pause, indem du an nichts mehr denkst. (...) Verfolge entspannt deine Atmung und genieße das wohltuende Gefühl der Entspannung. (...)
Denke noch dreimal an diese Situation, erlebe deine Stärke erneut, verankere das wunderbare Gefühl, indem du wieder die Schultern etwas hebst, während du einatmest und die Schultern sinken lässt, wenn du ausatmest. (...) Genieße dazwischen immer eine kurze, wohltuende Entspannung, in der du nur deine Atmung beobachtest: Die Luft kommt (...) und geht (...) ein (...) und aus (...)
Aktiviere dich z.B. durch kurzes Anspannen und Entspannen des Körpers oder durch intensives Räkeln und komme zurück ins Hier und Jetzt.

3. Gehe jetzt in die Zukunft, in eine Zeit, in der du das nächste Mal vor einem Vorspiel stehen wirst. (...) Löse durch heben/einatmen und sinken/ausatmen den „Talisman der Stärke" aus. (...) Wie fühlst du dich jetzt bei der Fantasie?

Probiere es beim nächsten Lampenfieber, es muss ja kein Vorspiel sein. Und vergiss nicht, dass dein Talisman-Vorrat von Zeit zu Zeit neu aufgefrischt werden muss. Überhaupt: Benutze jedes schöne Ereignis als Futter für deinen inneren Talisman. Er kriegt nie genug davon!

Nehmen wir ein Beispiel, wie du mit deinem Talisman Stärken auslösen kannst. Du kannst nämlich noch mehr tun.

4. Stell dir deinen idealen Auftritt vor.
Mache es dir so weit wie möglich bequem. (...) Verteile dein Gewicht so, dass du dich gänzlich durch die Unterlage getragen fühlst. (...) Der Nacken ist locker, den Kopf hältst du genau in einer geraden Linie mit der Wirbelsäule. (...) Atme tief und genüsslich ein. (...) So tief wie nötig, so angenehm wie möglich. (...) Langsam und ausführlich. (...) Und immer wieder atmest du ein und aus. (...) Die Luft strömt kühl durch die Nase ein, (...) und warm trägt die Ausatmung jegliche Spannung aus dem Körper hinaus.
Du spürst, wie jede Einatmung neue Energie und Kraft in alle verspannten und müden Körperteile bringt, (...) und wie die Ausatmung die Lockerheit und Entspannung vertieft. (...)
Du beobachtest, vergnügt und still, wie die Ausatmung deinen Körper entspannt. (...) Es kann schon möglich sein, dass die Arme, Hände und Finger eine angenehme Schwere empfinden, eine wohltuende, wärmende Schwere. (...)

Gedanken kommen und genau so unbekümmert fließen sie weiter. (...) Mit jeder Ausatmung werden die Gedanken aus dem Kopf hinausfließen; (...) genau wie die Spannung aus den Muskeln hinausfließt. (...)
Und für eine kurze Zeit wird dein Kopf frei. (...) Nur eine wohltuende, befreiende Leere (...), zunächst nur für eine Sekunde; (...) mit jeder Ausatmung nimmt die Ruhe und Stille in deinem Kopf zu. (...)
Alle Emotionen und Gefühle werden sanft und still wie ein wundersamer, kristallklarer See. (...)

Stelle dir nun vor, wie dir bei deinem nächsten Auftritt alles gelingt, genau wie du möchtest. (...) Beobachte alles um dich herum. (...) Nimm Klänge, Gerüche, Bilder, eventuell auch Geschmacksrichtungen wahr, (...) spüre sogar deine Kleider und die Luft auf deiner Haut. (...) Beobachte, wie du stehst oder sitzt mit einer freundlichen, wohlwollenden Distanz. (...) Du siehst, wie du absolut in deine Aufgabe vertieft bist, (...) eine vollkommene, ja wohltuende Konzentration. (...) Alles frei, (...) leicht, (...) faszinierend, (...) fließend und gelöst. (...) Du wirst selbst zu dieser Musik. (...)
Genieße diese vollkommene Harmonie und Konzentration. (...) Werde eins mit deinem Körper, und spüre diese Harmonie zwischen dir und der Aufgabe. (...) Graziös und leicht, (...) sanft und bestimmt. (...)
Das Gefühl der Harmonie, die Perfektion der Zeitlosigkeit, die aus der vollkommene Hingabe zur Aufgabe kommt, strömt durch deinen Körper, (...) das Gefühl von höchstem Glück und Zufriedenheit breitet sich aus. (...)

Diese absolute Konzentration und Hingabe verankerst du auf deine Art, damit du dieses wohltuende Gefühl jederzeit abrufen kannst. (...) Vielleicht benutzt du eine tiefe Ein- und Ausatmung als Anker; (...) oder du berührst ein Körperteil, das du nicht oft berührst, wie zum Beispiel ein Ohrläppchen oder ein Fingergelenk. (...)
So verbindest du dieses schöne Gefühl von Unabhängigkeit mit einer Handlung, die du jederzeit ausführen kannst, um wieder an deine inneren Stärken zu gelangen. (...)

Erinnere dich an erlebte Situationen, die für dich wunderbar waren. (...) Verankere auch diese positiven Gefühle. (...) Dein Selbstwertgefühl steigt, (...) du fühlst dich stark und zufrieden mit dir selbst, (...) du bist eins mit dir selbst.
Genieße dieses wohltuende Gefühl noch eine Weile. (...) Du bist zufrieden und entspannt, (...) locker und frei. (...) Und wenn du soweit bist, komme langsam und in deinem Tempo zurück ins Hier und Jetzt. (...)
Räkele dich, (...) strecke dich wie eine zufriedene Katze, (...) atme tief ein und aus, (...) öffne die Augen. (...) Du fühlst dich frisch, wohl und zuversichtlich.

Das Gehirn erkennt den Unterschied zwischen Wirklichkeit und Vorstellung nicht. Diese Tatsache hast du dir gerade zunutze gemacht. Du hast deine graue Masse zu deinen Gunsten „veräppelt".
Vergiss auch nicht, oft vorzuspielen. Egal für wen. Schon mancher Hund hat „live" gespielte Musik zu schätzen gelernt!

20. Nachwort

Das war ein ganz schön hartes Stückchen Arbeit, oder? Aber bedenke, was du geleistet hast: Du hast die Konzentration trainiert, dich umweltfreundlich um die Übehygiene gesorgt, dir die Musikstücke in dir erträglichen Häppchen serviert. Du hast Schreckensbildern wie Akkorden, Sprüngen, Lagenwechseln und rasanten Tempi das Grauen genommen und dich dem Schauder des Vorspielens gestellt.
Es gibt, wie du gesehen hast, viele verschiedene Wege nach Rom, viele Möglichkeiten zum besseren Üben. Allein das Wissen um die vielen Möglichkeiten wird dich motivieren!
Suche dir aus dem, was wir uns angeschaut haben, das dir Schmackhafte heraus. Nur: Befolge es dann auch, denn üben musst DU. Noch einmal: Viel Erfolg!

Die Autorin

Linda Langeheine, Dozentin und Referentin, Supervisor und Coach, Autorin

Geboren in den USA, Tätigkeit an verschiedenen deutschen Musikhochschulen

Konzertexamen bei Prof. Gerhard Mantel

Linda Langeheine wurde, erst 26-jährig, bereits Dozentin für Violoncello und Violoncello-Methodik an der Musikhochschule Frankfurt. 1986 erhielt sie eine Dozentur an der Musikhochschule Köln, Abteilung Wuppertal. Sie bildet Musiker und Instrumentalpädagogen aus, vor allem in ihrem Spezialgebiet Methodik, Didaktik und Psychologie des Instrumentalspiels. Hinzu kommen die Fächer wie psycho-soziale Fertigkeiten, mentales Training, Bewältigung von Lampenfieber, Auftrittstraining und Übetechnik.

Linda Langeheines Interesse und das Bedürfnis, anderen ihr Expertenwissen zugänglich zu machen, mündet darüber hinaus in Veröffentlichungen in internationalen Fachzeitschriften (u. a. „The Strad", „Üben & Musizieren", „The Instrumentalist", „Neue Musikzeitung") und in bislang fünf veröffentlichten Büchern:

„Üben mit Köpfchen – Mentales Training für Musiker" (ZM 00020)
„Üben? – Und wie!?" (ZM 33040)
„Saitenspiele – Wegweiser für Gruppen- und Einzelunterricht" (ZM 00021)
„Thumbs up! – Deine erste Daumenlage-Fibel" (ZM 33890)
„Lampenfieber ade! – Ratgeber für die Bewältigung von Auftrittsangst" (ZM 00028)
„Besser üben – mit Vergnügen" (ZM 00037)

Als Spezialistin für Gesprächsführung, Lernen, Führungstechnik und Zeitmanagement arbeitet sie auch als Coach und Beraterin für Privatpersonen und Führungskräfte. Städte wie Düsseldorf, Iserlohn, Essen, Krefeld, Mönchengladbach, Arnsberg und der Hochsauerlandkreis verpflichten Linda Langeheine mehrmals im Jahr als Seminarleiterin, ebenso wie zahlreiche Firmen und Unternehmen.

Nach einer Ausbildung als NLP-Lehrtrainerin und Systemischer Coach sowie zahlreichen zusätzlichen Weiterbildungen u.a. in Rhetorik, Hypnotherapie und Suggestopädie machte sich Linda Langeheine als Kommunikationstrainerin selbständig.

Linda Langeheine

Üben mit Köpfchen

Mentales Training für Musiker
ISBN 978-3-921729-52-6
ZM 00020
Mit Entspannungstechniken und mentalem Training zu einem effektiven Üben und unverkrampften Spiel.

Thumbs up!

Deine erste Fibel für die Daumenlage
Übungen, Lieder und Stücke für die Einführung der Daumenlage auf dem Violoncello.
ISMN 979-0-010-33890-3
ZM 33890

Üben? - Und wie!?...

Die Übefibel mit Tipps und Tricks für ein besseres Üben für Kinder ab 10 Jahren und für alle,
die das Üben üben wollen.
ISBN 978-3-921729-70-0
ZM 33040

Lampenfieber ade

Leitfaden für die erfolgreiche Bewältigung von Auftrittsangst
ISBN 978-3-921729-78-6
ZM 00028

Besser üben – mit Vergnügen

Ein Leitfaden für Instrumentallehrer und alle Interessierte
ISBN 978-3-940105-37-0
ZM 00037

0704